UMA MENTE INQUIETA

UMA MENTE INQUIETA
Memórias de loucura e instabilidade de humor

Kay Redfield Jamison

TRADUÇÃO
WALDÉA BARCELLOS

wmf**martinsfontes**

Esta obra foi publicada originalmente em inglês com o título
AN UNQUIET MIND por Alfred A. Knopf, N. York, em 1995.
Copyright © 1995, by Kay Redfield Jamison. Esta tradução
foi publicada em acordo com Alfred A. Knopf, Inc.
Copyright © 1996, Livraria Martins Fontes Editora Ltda.,
São Paulo, para a presente edição.

1ª edição 1996
2ª edição 2009
8ª tiragem 2025

Tradução
WALDÉA BARCELLOS

Revisão técnica e da tradução
Claudia Berliner
Consultores técnicos
Dr. Frederico Navas Demetrio e Dra. Hupseld Moreno,
do Grupo de Estudo de Doenças Afetivas (GRUDA) do Instituto
de Psiquiatria do H. C. FMUSP
Revisão
Luzia Aparecida dos Santos
Produção gráfica
Geraldo Alves
Paginação
Studio 3 Desenvolvimento Editorial
Capa
Alexandre Martins Fontes
Foto da capa
Tom Wolff

Dados Internacionais de Catalogação na Publicação (CIP)
(Câmara Brasileira do Livro, SP, Brasil)

Jamison, Kay Redfield
Uma mente inquieta : memórias de loucura e instabilidade de
humor / Kay Redfield Jamison ; tradução Waldéa Barcellos. – 2ª
ed. – São Paulo : Editora WMF Martins Fontes, 2009.

Título original: An unquiet mind.
ISBN 978-85-7827-181-7

1. Jamison, Kay R. – Saúde mental 2. Professoras universitárias
– Estados Unidos – Biografia 3. Psicoses maníaco-depressivas –
Pacientes – Estados Unidos – Biografias I. Título.

09-07849 CDD-616.8950092

Índices para catálogo sistemático:
1. Maníacos-depressivos : Biografia 616.8950092

Todos os direitos desta edição reservados à
Editora WMF Martins Fontes Ltda.
Rua Prof. Laerte Ramos de Carvalho, 133 01325.030 São Paulo SP Brasil
Tel. (11) 3293.8150 e-mail: info@wmfmartinsfontes.com.br
http://www.wmfmartinsfontes.com.br

Para minha mãe,
Dell Temple Jamison

*Que me deu a vida não
uma, mas inúmeras vezes*

*Às vezes duvido se
uma vida calma e tranqüila
teria sido conveniente para mim – e no entanto
às vezes anseio por isso.*

– BYRON

Índice

Prólogo 3

Primeira Parte
O FANTÁSTICO AZUL AO LONGE 11

Segunda Parte
UMA LOUCURA NÃO TÃO DELICADA 77

Terceira Parte
ESSE REMÉDIO, O AMOR 163

Quarta Parte
UMA MENTE INQUIETA 209

Epílogo 259
Agradecimentos 263

Quem é Kay Jamison?

A cientista Kay Redfield Jamison, Professora Associada de Psiquiatria da "The Johns Hopkins University of Medicine", é figura de destaque em nosso meio. Co-autora, junto com o Dr. Frederick K. Goodwin, de um dos melhores textos técnicos sobre os Transtornos Afetivos ("Manic Depressive Illness", l990), seu nome é referência indispensável para o médico dedicado aos pacientes com alterações do humor.

O ser humano Kay Jamison estamos começando a conhecer. *Uma mente inquieta*, disponível agora em português, relata esta experiência única: de como uma profissional de saúde, que se dedica à pesquisa e ao tratamento de uma doença mental, lida com essa mesma doença como paciente. Os preconceitos, as dificuldades, as alegrias e as tristezas dessa pessoa brilhante certamente vão arejar nossos conceitos sobre doença mental, especialmente sobre Transtornos Afetivos. Conhecidos também como transtornos do humor e antigamente chamados "Psicose Maníaco-Depressiva" (ou simplesmente "PMD"), eles afetam uma parcela significativa da população. O Transtorno Bipolar do Humor afeta cerca de um milhão e meio de pessoas somente no Brasil. Esses pacientes, seus familiares e também os seus psiquiatras, psicólogos e demais profissionais dedicados à saúde mental terão neste livro de Kay Jamison um alento e um alerta. Conhecerão o sucesso de uma profissional que venceu e conquistou renome justamente na área de seu transtorno psíquico. E estarão atentos para as potencialidades do ser humano, mesmo quando sua mente inquieta parece que vai dominá-lo.

Dr. Frederico Navas Demetrio
Médico Psiquiatra
Coordenador Executivo do GRUDA-Grupo
de Estudos de Doenças Afetivas do Instituto
de Psiquiatria do Hospital das Clínicas da FMUSP

UMA MENTE INQUIETA

Prólogo

Quando são duas da manhã e se está maníaco, mesmo o centro médico da UCLA tem um certo atrativo. O hospital – geralmente um aglomerado frio de prédios desinteressantes – tornou-se para mim, naquela madrugada de outono há quase vinte anos, um foco do meu sistema nervoso perfeitamente sintonizado, em intenso estado de alerta. Com as vibrissas ardendo, as antenas empinadas, os olhos se adiantando velozes, facetados como os de uma mosca, eu absorvia tudo ao meu redor. Eu estava correndo. Não simplesmente correndo, mas correndo com velocidade e fúria, como um relâmpago a atravessar, de um lado para o outro, o estacionamento do hospital, procurando gastar uma energia ilimitada, irrequieta, maníaca. Eu corria rápido, mas lentamente enlouquecia.

4

O homem com quem eu estava, um colega da faculdade de medicina, havia parado de correr uma hora antes e estava exausto, dizia ele com impaciência. Isso para uma mente mais sã não teria sido surpresa: a distinção normal entre noite e dia há muito havia desaparecido para nós dois, e as intermináveis horas de scotch, brigas barulhentas e risadaria descontrolada mostravam seus danos óbvios, se não finais. Deveríamos estar dormindo ou trabalhando, redigindo não perecendo, lendo revistas especializadas, preenchendo tabelas ou elaborando entediantes gráficos científicos que ninguém leria.

De repente, um carro de polícia parou. Mesmo no meu estado mental de lucidez menos do que total, percebi que o policial estava com a mão na arma quando desceu do carro.

– O que é que vocês estão fazendo correndo pelo estacionamento numa hora dessas? – perguntou ele.

Pergunta não sem sua lógica. As poucas ilhotas de bom-senso que me restavam conectaram-se umas às outras o tempo suficiente para eu concluir que essa situação específica ia ser difícil de explicar. Felizmente meu colega estava raciocinando muito melhor do que eu e conseguiu ir buscar uma resposta numa parte profundamente intuitiva do seu próprio inconsciente e do inconsciente coletivo.

– Nós dois ensinamos no departamento de psiquiatria. O policial olhou para nós, sorriu, voltou para sua radiopatrulha e foi embora.

O fato de sermos professores de psiquiatria explicava tudo.

Um mês após ter assinado o contrato que me nomeava para professora-assistente de psiquiatria na Universidade da Califórnia, Los Angeles, eu estava a meio caminho da loucura. Era 1974, e eu estava com vinte e oito anos. Em três meses, eu estava maníaca a ponto de não me reconhecer e apenas começava minha longa e custosa guerra particular com um medicamento que, depois de alguns anos, eu recomendaria com firmeza a outros. Minha doença, bem como minhas batalhas com a droga que acabaria por salvar minha vida e restaurar minha sanidade, vinha se formando há anos.

Desde minhas lembranças mais remotas, eu era propensa a inconstâncias de humor de uma forma assustadora, embora freqüentemente maravilhosa. Criança de emoções intensas, volúvel quando menina, a princípio gravemente deprimida na adolescência, e depois presa sem trégua aos ciclos da doença maníaco-depressiva na época em que comecei minha vida profissional, tornei-me por necessidade e por inclinação intelectual uma estudiosa das alternâncias do humor. É o único meio que conheço para compreender, na verdade para aceitar, a doença que tenho. Também é o único meio que conheço para tentar exercer alguma influência nas vidas de outros que também sofrem de transtornos do humor. A doença que, em algumas ocasiões, quase me matou acaba matando dezenas de milhares de pessoas a cada ano. A maioria é jovem; a maioria morre sem necessidade; e muitos estão entre os membros mais talentosos e criativos que nós, enquanto sociedade, temos.

Os chineses acreditam que, antes que se possa vencer uma fera, primeiro é preciso embelezá-la. De algum modo estranho, tentei agir assim com a doença maníaco-depressiva. Ela foi um inimigo e companheiro fascinante, embora fatal. Considerei-a sedutoramente complicada, uma destilação do que há de melhor na nossa natureza e do que há de mais perigoso. Para poder enfrentá-la, precisei antes conhecê-la em todos os seus tons e disfarces infinitos, compreender seus poderes reais e imaginados. Como minha doença de início parecia ser simplesmente uma extensão de mim mesma, ou seja, dos meus entusiasmos, energias e humores naturalmente inconstantes, talvez eu tenha sido complacente demais com ela. E, como eu era da opinião de que deveria ser capaz de lidar sozinha com a violência cada vez maior das minhas oscilações de humor, durante os dez primeiros anos não procurei nenhum tipo de tratamento. Mesmo depois de minha condição se tornar uma emergência médica, eu ainda oferecia resistência intermitente à medicação que tanto minha formação quanto o conhecimento de pesquisas clínicas me diziam ser a única forma racional de lidar com a doença que eu tinha.

Minhas manias, pelo menos nas suas apresentações iniciais e brandas, eram estados absolutamente inebriantes que proporcionavam intenso prazer pessoal, uma fluidez incomparável de pensamentos e uma energia contínua que permitia a transposição de novas idéias para trabalhos acadêmicos e projetos. A medicação não só interrompia esses períodos velozes, de vôos altos; ela também trazia consigo efeitos colaterais aparentemente intoleráveis. Demorei demais para perceber que anos e relacionamentos perdidos não podem ser recuperados, que o mal que se faz a si mesmo e aos outros nem sempre pode ser corrigido e que libertar-se do controle imposto pela medicação perde seu significado quando as únicas alternativas são a morte e a insanidade.

A guerra que travei comigo mesma não é rara. O principal problema clínico no tratamento da doença maníaco-depressiva não está na inexistência de medicação eficaz – ela existe – mas na tão freqüente recusa dos pacientes a tomá-la. E o que ainda é pior, em decorrência da falta de informação, de falhas na atenção médica, do estigma ou do medo de conseqüências em termos pessoais e profissionais, eles simplesmente não procuram tratamento. A doença maníaco-depressiva deforma o estado de humor e os pensamentos, estimula comportamentos aterradores, destrói a base do pensamento racional e, com enorme freqüência, solapa o desejo e a vontade de viver. É uma doença biológica nas suas origens, mas que dá a impressão de ser psicológica na vivência que se tem dela; uma doença sem par no fato de proporcionar vantagens e prazer e que, no entanto, traz como conseqüência um sofrimento quase insuportável e, não raramente, o suicídio.

Tive a felicidade de não ter morrido dessa doença, de ter recebido o melhor atendimento médico disponível e de ter os amigos, os colegas e a família que tenho. Por esse motivo, eu por meu lado procurei, da melhor maneira possível, usar minhas próprias experiências da doença para embasar minhas atividades de pesquisa, ensino, prática clínica e trabalho de divulgação e conscientização. Por meio da escrita e do ensino, tive a esperança de convencer meus colegas de profissão do núcleo paradoxal dessa doença imprevisível que pode tanto matar quanto criar; e, ao lado de muitos outros, procurei mudar as atitudes do público com relação às enfermidades psiquiátricas em geral e à doença maníaco-depressiva em particular. Foi difícil às vezes entrelaçar a disciplina científica do meu campo intelectual com as realidades mais irresistíveis das minhas próprias experiências emocionais. E, no entanto, foi a partir desse vínculo entre a emoção crua e o olhar mais distanciado da ciência clínica que tenho a impressão de ter conquistado a liberdade de viver o tipo de vida que quero, bem como as vivências humanas necessárias para tentar exercer influência na conscientização do público e na prática médica. Tive minhas dúvidas quanto a escrever um livro que descreve de modo tão explícito minhas próprias crises de mania, depressão e psicose, além da minha dificuldade para admitir a necessidade de medicação contínua. Por motivos óbvios relacionados à obtenção de licença para clinicar e do direito a fazer parte da equipe de hospitais*, os profissionais relutam em levar ao conhecimento público seus problemas psiquiátricos. Essas preocupações costumam ser justificadas. Não faço a menor idéia de quais possam vir a ser os efeitos que essa minha decisão de debater tais questões com tanta franqueza trará a longo prazo à minha vida pessoal e pro-

---

* "*Clinical privileges*" e "*hospital privileges*" são exames de habilitação que autorizam o profissional a exercer a profissão, neste caso, clinicar. Essas licenças seguem a legislação de cada Estado e, portanto, têm de ser reconhecidas pelo órgão competente em caso de mudança de residência para outro Estado. (N. da R. T.)

fissional; mas, não importa quais sejam as conseqüências, é provável que sejam melhores do que se eu mantivesse o silêncio. Estou cansada de me esconder, cansada de energias desperdiçadas e emaranhadas, cansada da hipocrisia e cansada de agir como se eu tivesse algo a esconder. Cada um é o que é, e a desonestidade de se esconder atrás de um diploma, de um título ou de qualquer forma e reunião de palavras ainda é exatamente isso: desonesta. Necessária, talvez, mas desonesta. Continuo a me preocupar com minha decisão de tornar pública minha doença, mas uma das vantagens de vir sofrendo dela há mais de trinta anos está no fato de que pouquíssimas coisas parecem apresentar uma dificuldade insuperável. De uma forma bastante parecida com a travessia da Bay Bridge quando está ocorrendo uma tempestade sobre a Chesapeake, a perspectiva de avançar pode ser apavorante, mas não há nenhuma cogitação de se voltar atrás. Descubrome como que inevitavelmente encontrando um certo consolo na pergunta essencial de Robert Lowell: *E, no entanto, por que não dizer o que aconteceu?*

Primeira Parte

O FANTÁSTICO AZUL AO LONGE

Na Direção do Sol

Eu estava parada com a cabeça jogada para trás, uma maria-chiquinha presa entre os dentes, ouvindo o jato lá em cima. O barulho estava alto, mais do que o normal, o que queria dizer que ele estava perto. Minha escola primária ficava próxima à Base Aérea de Andrews, bem na periferia de Washington. Muitos de nós eram filhos de pilotos, e o barulho fazia parte da rotina. O fato de ser rotina não reduzia, porém, o fascínio, e eu instintivamente olhei do pátio para acenar. É claro que eu sabia que o piloto não estava me vendo – eu sempre soube disso – da mesma forma que sabia que, mesmo que estivesse me vendo, a probabilidade era que ele na realidade não fosse meu pai. Mas essa era uma das coisas que a gente fazia, e de qualquer modo eu adorava todo e qualquer pretexto para fixar os olhos no céu. Meu pai, um oficial de carreira da Força Aérea, era antes de mais nada um cientista e apenas em segundo lugar, piloto. Mas ele adorava voar; e, como era meteorologista, tanto sua mente quanto sua alma acabavam ficando no céu. Como meu pai, eu olhava para cima muito mais do que para fora.

Quando eu lhe dizia que a Marinha e o Exército eram tão mais *velhos* do que a Força Aérea, tinham muito mais tradições e lendas, ele costumava responder que isso era verdade, sim, mas que a Força Aérea era o *futuro*. E então ele sempre acrescentava: "E... nós podemos voar." Essa profissão de fé era acompanhada eventualmente de uma entusiástica interpretação do hino da Força Aérea, fragmentos do qual continuam comigo até hoje aninhados, de um modo algo estranho, com trechos de canções de Natal, primeiros poemas e lembranças variadas do livro de orações da igreja anglicana: todos carregados de emoção e significado desde a infância, e todos ainda mantendo o poder de acelerar a pulsação.

E eu prestava atenção e acreditava. E, quando ouvia as palavras "Lá saímos nós para o fantástico azul ao longe", eu imaginava que "fantástico" e "ao longe" estavam entre as palavras mais maravilhosas que já havia escutado. Da mesma forma, eu sentia o total enlevo da expressão "Subindo alto na direção do sol" e sabia instintivamente que fazia parte dos que amavam a amplidão do céu.

O barulho do jato ficou mais alto, e eu vi que as outras crianças da minha turma de 2ª série olhavam subitamente para cima. O avião vinha chegando bem baixo e passou por nós como um raio, quase atingindo o pátio. Enquanto ficávamos ali agrupados e absolutamente apavorados, ele entrou pelo meio das árvores e explodiu bem na nossa frente. A violência da colisão pôde ser sentida e ouvida no horrível impacto do avião. Ela também pôde ser vista na beleza assustadora embora terrivelmente prolongada das chamas que se seguiram.

Em questão de minutos, aparentemente mães começaram a invadir o pátio para tranqüilizar os filhos, informando que não havia sido seu pai. Felizmente para meu irmão, minha irmã e para mim, também não havia sido o nosso. Ao longo dos dias seguintes, com a divulgação da mensagem final do jovem piloto à torre de controle antes de morrer, ficou claro que ele sabia que poderia salvar sua vida se abandonasse o avião. Ele também sabia, porém, que se agisse assim estaria arriscando que o avião desgovernado caísse sobre o pátio e matasse aqueles de nós que estavam lá.

O piloto morto tornou-se um herói, transformado num ideal causticante, inteiramente impossível, do que queria dizer o conceito de dever. Era um ideal impossível, mas ainda mais irresistível e assombroso por sua própria inexeqüibilidade. A lembrança do acidente voltou à minha mente muitas vezes ao longo dos anos, como um lembrete tanto de como as pessoas aspiram a esse tipo de ideal e precisam dele, quanto de como pode ser fatalmente difícil atingi-lo. Nunca mais olhei para o céu e vi apenas amplidão e beleza. Daquela tarde em diante, vi que a morte também, e sempre, estava lá.

Embora, como todas as famílias de militares, nós nos mudássemos muito – ao chegar à 5ª série, meu irmão mais velho, minha irmã e eu havíamos freqüentado quatro escolas primárias diferentes e havíamos morado na Flórida, em Porto Rico, na Califórnia, em Tóquio e em Washington por duas vezes – nossos pais, em especial minha mãe, mantinham a vida tão segura, aconchegante e constante quanto possível. Meu irmão era o mais velho e o mais firme dos três filhos, além de ser meu aliado fiel, apesar dos três anos de diferença entre nós. Ele era um ídolo para mim enquanto crescíamos, e eu costumava segui-lo, fazendo enorme esforço para não chamar a atenção, quando ele e seus amigos saíam para jogar beisebol ou perambular pela vizinhança. Ele era inteligente, justo e seguro, e eu sempre tinha a impressão de haver um pouquinho de proteção a mais para o meu lado quando ele estava por perto. Meu relacionamento com minha irmã, que era somente treze meses mais velha do que eu, era mais complicado. Ela era a verdadeira beleza da família, com cabelos escuros e olhos maravilhosos, que desde a mais tenra infância sempre teve uma consciência dolorosa de tudo que a cercava. Seu estilo era carismático; seu temperamento, feroz. Sofria de humores sombrios e passageiros e era pouco tolerante com o estilo de vida militar conservadora que, na sua opinião, aprisionava a todos nós. Ela levava sua própria vida, desafiadora, e se rebelava com impetuosidade sempre e onde quer que pudesse. Odiava a escola secundária e, quando estávamos morando em Washington, costumava matar aula para ir até o Smithsonian, ao Museu Médico do Exército ou simplesmente para fumar e beber cerveja com os amigos.

Ela se irritava comigo por ter a impressão de que eu era, como dizia em tom de zombaria, "a loura" – uma irmã para quem os amigos e as tarefas escolares pareciam fáceis demais – que passava pela vida sem esforço, protegida da realidade por uma visão absurdamente otimista das pessoas e da vida. Sufocada entre o irmão, que era um atleta por natureza e que parecia nunca encontrar notas menos do que perfeitas nas suas provas na faculdade e na admissão à pós-graduação, e eu, que simplesmente adorava a escola e que me dedicava com energia aos esportes, aos amigos e às atividades escolares, ela se salientava como o membro da família que se rebelava e lutava contra o que via como um mundo difícil e desagradável. Ela detestava a vida militar, detestava a desestabilização constante e a necessidade de fazer novos amigos, além de considerar hipócritas as boas maneiras da família.

Talvez em decorrência do fato de meus humores sombrios só terem ocorrido quando eu estava mais velha, eu tenha tido um tempo maior para habitar um mundo de grandes aventuras mais ameno, menos ameaçador e, de fato para mim, perfeitamente maravilhoso. Esse mundo, creio eu, foi algo que minha irmã jamais conheceu. Em grande proporção, os anos longos e importantes da infância e do início da adolescência foram muito felizes para mim, e eles me proporcionaram uma base sólida de carinho, amizade e confiança. Eles viriam a ser um amuleto extremamente poderoso, uma força potente e positiva a se contrapor à infelicidade futura. Minha irmã não teve um período semelhante; não teve amuletos desse tipo. Quando tanto ela quanto eu tivemos de enfrentar nossos respectivos demônios, talvez não fosse nenhuma surpresa que minha irmã visse a escuridão como algo que estava dentro e fazia parte dela mesma, da família e do mundo. Eu, em vez disso, considerava a escuridão uma perfeita estranha. Por mais que ela se instalasse na minha mente e na minha alma, ela quase sempre me parecia uma força externa, em guerra com meu eu natural.

Minha irmã, como meu pai, podia ser extremamente cativante. Ousada, original e de uma espirituosidade devastadora, ela também foi abençoada com um sentido extraordinário de padrão estético. Não era uma pessoa fácil ou serena e, à medida que amadureceu, suas perturbações cresceram com ela, mas sua alma e imaginação artística eram enormes. Ela também podia magoar as pessoas profundamente e depois provocar sua raiva muito além de qualquer nível razoável de tolerância. Mesmo assim, eu sempre me senti um pouco como fragmentos de terra diante do fogo e chamas da minha irmã.

Quanto ao meu pai, quando ele se envolvia, costumava envolver-se de um modo mágico: entusiástico, divertido, curioso sobre praticamente tudo e capaz de descrever com prazer e originalidade as belezas e os fenômenos do mundo natural. Um floco de neve nunca era apenas um floco de neve; nem uma nuvem, apenas uma nuvem. Eles se tornavam acontecimentos e personagens, parte de um universo cheio de vida e estranhamente organizado. Quando as coisas iam bem, e ele estava com a disposição em alta, seu entusiasmo contagiante tocava tudo. A casa ficava cheia de música; jóias belíssimas surgiam – um anel de pedra da lua, uma pulseira delicada com cabochões de rubis, um pingente formado de uma tristonha pedra verde-mar montada num remoinho de ouro – e todos entrávamos em modo de escuta pois sabíamos que logo teríamos muito a ouvir sobre não importa qual fosse o novo entusiasmo que agora o dominava. Às vezes, era um discurso baseado na convicção apaixonada de que o futuro e a salvação do mundo deveriam ser encontrados nos moinhos de vento; às vezes, era a idéia de que nós três, as crianças, simplesmente *tínhamos* de aprender russo, por ser a poesia russa de uma beleza inefável no original.

Uma ocasião, tendo meu pai lido que George Bernard Shaw deixara dinheiro em testamento para o desenvolvimento de um alfabeto fonético, com a especificação de que *Androcles and the Lion* fosse a primeira das suas peças a ser transcrita, todos nós recebemos múltiplos exemplares de *Androcles*, bem como qualquer outra pessoa que cruzasse a trajetória de vôo do meu pai. Na realidade, dizia-se na família que quase cem livros haviam sido comprados e distribuídos. Havia um fascínio contagiante na sua veemência, que eu adorava, e ainda sorrio quando me lembro do meu pai lendo em voz alta o trecho em que Androcles trata a pata do leão ferido, os soldados cantando "Atirem-nos aos leões" com a melodia de "Avante, Soldados de Cristo" e os comentários intercalados do meu pai sobre a importância vital – nunca seria demais ressaltar *quão* vital – das línguas fonéticas e internacionais.

Até hoje tenho um abelhão de cerâmica no meu consultório, e ele também me faz rir quando me lembro de que meu pai o apanhava cheio de mel até a borda e fazia com que voasse no ar, realizando várias manobras de aviões a jato, incluindo-se a preferida e mais adequada: o desenho do trevo. É claro que, quando a abelha era virada de cabeça para baixo no seu vôo, o mel derramava por toda a mesa da cozinha, deixando minha mãe a perguntar: "Marshall, será que isso é *realmente* necessário? Você está instigando as crianças." Nós todos dávamos risinhos de aprovação, garantindo, assim, mais alguns minutos de vôo do abelhão.

Era realmente fascinante, assim como ter Mary Poppins como pai. Anos mais tarde, ele me deu uma pulseira em que estavam gravadas as palavras de Michael Faraday que estão inscritas no alto do prédio de física da UCLA: "Nada é maravilhoso demais para ser verdade." Nem é preciso dizer que Faraday sofreu repetidos colapsos nervosos e que a observação é de uma falsidade palpável, mas a idéia e o tom são lindos e muito parecidos com o que meu pai podia ser nos seus momentos fabulosos. Minha mãe disse muitas vezes que sempre se sentiu vivendo na sombra da espirituosidade, encanto, energia e imaginação de meu pai. Sua observação de que ele era um flautista de Hamelin com as crianças era sem dúvida corroborada pelo efeito carismático que ele exercia sobre meus amigos e as outras crianças em qualquer vizinhança onde nos encontrássemos no momento. Entretanto, era sempre com minha mãe que meus amigos queriam se sentar para conversar. Brincávamos com meu pai; conversávamos com minha mãe.

Mamãe, que tinha a crença absoluta de que o que importa não são as cartas que recebemos no jogo da vida, mas nosso modo de jogar com elas, foi de longe a carta mais alta que me coube. Delicada, justa e generosa, ela tem o tipo de segurança que deriva de ter sido criada por pais que não só a amavam profundamente mas que eram eles próprios pessoas delicadas, justas e generosas. Meu avô, que morreu antes que eu nascesse, era professor universitário e físico por formação. Na opinião de todos, ele era um homem espirituoso além de extraordinariamente gentil tanto com seus alunos quanto com seus colegas. Minha avó, que conheci bem, era uma mulher carinhosa e afetuosa que, à semelhança de minha mãe, nutria um interesse profundo e genuíno pelas pessoas. Esse interesse, por sua vez, era traduzido numa enorme capacidade para a amizade e um notável talento para deixar as pessoas à vontade. Para ela, as pessoas vinham sempre em primeiro lugar, da mesma forma que ocorria com minha mãe, e uma falta de tempo ou um horário apertado nunca serviam de desculpa para uma desconsideração ou para impedir o acesso a ela.

Minha avó não era de modo algum uma intelectual. Ao contrário de meu avô, que passava o tempo lendo e relendo Shakespeare e Twain, ela preferia se associar a clubes. Por ser uma organizadora por natureza além de muito estimada, ela inevitavelmente era eleita presidente de qualquer grupo com o qual se envolvesse. Era sob muitos aspectos uma pessoa perturbadoramente conservadora – republicana, membro da organização Filhas da Revolução Americana e grande apreciadora de reuniões para chá, o que deixava meu pai apoplético – mas era uma mulher fina, embora decidida, que usava vestidos floridos, polia as unhas, arrumava a mesa com perfeição e cheirava a sabonetes de flores. Ela era incapaz de uma indelicadeza e foi uma avó maravilhosa.

Minha mãe, alta, magra e bonita, teve muitos amigos quando aluna do segundo grau e na faculdade. As fotos nos seus álbuns mostram uma moça obviamente feliz, geralmente cercada de amigos, jogando tênis, nadando, praticando esgrima, andando a cavalo, envolvida em atividades sociais ou com uma ligeira aparência de dama do século passado com uma série de namorados bem-apessoados. As fotografias captam a inocência extraordinária de uma época e um mundo de um tipo diferente. Tratava-se porém de uma época e de um mundo em que minha mãe parecia estar muito à vontade. Não havia sombras agourentas, nenhum rosto pensativo ou melancólico, nenhuma cogitação de instabilidade ou escuridão interior. Sua opinião de que uma certa previsibilidade era algo com que as pessoas deviam poder contar deve ter tido suas raízes na perfeita normalidade das pessoas e dos acontecimentos mostrados nessas fotografias, bem como nas gerações pregressas de antepassados que eram confiáveis, estáveis, respeitáveis e que venciam as dificuldades.

Séculos de uma tal estabilidade aparente nos genes puderam preparar minha mãe apenas parcialmente para todos os tumultos e dificuldades com que ela iria deparar ao deixar a casa dos pais para formar sua própria família. No entanto, foram exatamente essa persistente estabilidade de minha mãe, sua crença na vitória sobre as dificuldades e sua enorme capacidade para amar, aprender, ouvir e mudar, que ajudaram a me manter viva ao longo de todos os anos de dor e desespero que estavam por vir. Ela não podia ter imaginado como seria difícil lidar com a loucura; não tinha nenhuma formação sobre o que fazer com a loucura – nenhum de nós tinha – mas, como era de esperar de sua capacidade para amar e sua determinação inata, ela a tratou com empatia e inteligência. Jamais lhe ocorreu a idéia de desistir.

Tanto minha mãe quanto meu pai davam forte estímulo a meus interesses por escrever poesia e peças escolares, bem como pela ciência e pela medicina. Nenhum dos dois procurava limitar meus sonhos, e eles possuíam o bom-senso e a sensibilidade para distinguir entre uma fase pela qual eu estava passando e envolvimentos mais sérios. No entanto, mesmo minhas fases eram geralmente toleradas com simpatia e imaginação. Por ser especialmente dada a paixões fortes e absolutas, a certa altura tive a convicção desesperada de que precisávamos ter uma preguiça como animal de estimação. Minha mãe, que já havia chegado aos seus limites ao me permitir ter cachorros, gatos, passarinhos, peixes, tartarugas, lagartos, rãs e camundongos, não ficou louca de entusiasmo. Meu pai me convenceu a preparar um detalhado caderno literário e científico sobre preguiças. Ele sugeriu que, além de fornecer informações práticas sobre suas necessidades nutricionais, seu espaço vital e requisitos veterinários, eu também escrevesse uma série de poemas sobre preguiças e ensaios sobre o que elas significavam para mim; que eu projetasse um *habitat* para elas que se adaptasse à nossa casa atual; e que fizesse observações detalhadas do seu comportamento no zoológico. Se eu fizesse tudo isso, disse ele, meus pais então cogitariam de procurar uma preguiça para mim.

O que os dois sabiam, tenho certeza, era que eu estava simplesmente apaixonada pela idéia de uma idéia estranha; e que, tendo algum outro meio para expressar meus entusiasmos, eu ficaria perfeitamente satisfeita. É claro que estavam certos, e isso ficou ainda mais claro para mim quando fui de fato observar as preguiças no National Zoo. Se existe alguma coisa mais entediante do que observar uma preguiça – que não seja assistir a uma partida de críquete ou às reuniões da comissão do orçamento no canal público do Congresso – eu ainda não descobri qual seja. Nunca senti tanta gratidão por voltar ao prosaico mundo da minha cachorra, que em comparação era um Newton em sua complexidade.

Já meu interesse pela medicina foi duradouro, e meus pais lhe deram estímulo total. Quando eu estava com uns doze anos, eles compraram para mim instrumentos para dissecar, um microscópio e um exemplar de *Gray's Anatomy*. Este último revelou-se excessivamente complicado, mas sua existência me dava uma idéia do que eu imaginava que a verdadeira medicina fosse. A mesa de pingue-pongue no nosso porão era meu laboratório, e eu passei inúmeros fins de tarde dissecando rãs, peixes, minhocas e tartarugas. Só quando subi na escala da evolução na minha escolha dos objetos de estudo e ganhei um feto de porco – cujos bigodinhos perfeitos e o minúsculo focinho me arrasaram – senti repulsa pelo universo da dissecação. Médicos no hospital da Base Aérea de Andrews, onde eu trabalhava como auxiliar de enfermagem voluntária nos fins de semana, me davam bisturis, lápis hemostáticos e, entre outras coisas, frascos de sangue para uma das minhas inúmeras experiências caseiras. O mais importante é que eles tratavam a mim e a meus interesses com grande seriedade. Nunca tentaram me desestimular da idéia de me tornar médica, muito embora aquela fosse uma época em que o consenso era, se for mulher, seja enfermeira. Eles me levavam nas visitas pelo hospital e deixavam que eu observasse e até mesmo ajudasse em procedimentos cirúrgicos de pequena importância. Eu olhava com atenção enquanto eles retiravam suturas, trocavam curativos e faziam punções lombares. Eu segurava os instrumentos, espiava o interior dos ferimentos e, numa ocasião, cheguei a remover pontos de uma incisão abdominal num paciente.

    Eu costumava chegar cedo ao hospital, sair tarde, e trazia livros e perguntas: Como era ser estudante de medicina? Fazer partos? Estar por perto da morte? Devo ter sido especialmente convincente quanto a meu interesse por este último ponto, pois um dos médicos me permitiu assistir a parte de uma autópsia, o que foi extraordinário e apavorante. Fiquei parada ao lado da mesa de aço, fazendo um esforço enorme para não olhar para o corpo nu e pequeno da criança morta, mas sem conseguir. O cheiro na sala era desagradável e sufocante, e por algum tempo só o barulho da água e a destreza das mãos do patologista serviram para desviar minha atenção. Afinal, para me impedir de ver o que eu estava vendo, reverti para uma identidade mais curiosa e cerebral, fazendo uma pergunta após a outra, e emendando ainda mais uma pergunta depois de cada resposta. Por que o patologista estava fazendo os cortes daquele jeito? Por que ele estava usando luvas? Para onde iam todas as partes do corpo? Por que umas partes eram pesadas e outras não? A princípio, era um meio de evitar o horror do que estava acontecendo diante de mim. Depois de algum tempo, no entanto, a curiosidade passou a ser uma força irresistível por si mesma. Concentrei minha atenção nas perguntas e parei de ver o corpo. Como se confirmou milhares de vezes desde então, minha curiosidade e meu temperamento me levaram a lugares com os quais eu realmente não tinha condições emocionais de lidar; mas a mesma curiosidade, aliada ao lado científico da minha cabeça, gerava uma estrutura e um distanciamento suficiente para permitir que eu me controlasse, me desviasse, refletisse e seguisse em frente.

Quando eu estava com quinze anos, fui com minhas colegas voluntárias do hospital num passeio em grupo a St. Elizabeths, o hospital psiquiátrico federal no Distrito de Colúmbia. A seu modo, foi uma experiência muito mais aterradora do que presenciar a autópsia. Todas nós estávamos nervosas durante a viagem de ônibus até o hospital, dando risinhos e fazendo comentários infantis de uma insensibilidade terrível num vão esforço para afastar nossas ansiedades sobre o desconhecido e o que imaginávamos que seria o universo dos loucos. Creio que estávamos com medo da estranheza, da violência possível e de como seria ver alguém totalmente fora de controle. "Você vai acabar no St. Elizabeths" era uma das nossas provocações na infância. E, apesar do fato de eu não ter nenhum motivo evidente para acreditar que não fosse razoavelmente lúcida, medos irracionais começaram a me aguilhoar por dentro. Afinal de contas, eu tinha um temperamento terrível e, embora ele raramente entrasse em erupção, quando isso acontecia, ele assustava a mim e a qualquer um que estivesse próximo do seu epicentro. Era a única fissura, mas uma fissura perturbadora, no que era sob qualquer outro aspecto a carcaça estanque do meu comportamento. Só Deus sabia o que corria por baixo da feroz disciplina e controle emocional que haviam acompanhado minha criação. Mas as fissuras estavam lá, isso eu sabia, e elas me apavoravam.

   O hospital em si não era em nada o lugar sinistro que eu havia imaginado: o terreno era amplo, lindo, repleto de árvores antigas e magníficas; em diversos pontos havia vistas extraordinárias da cidade e dos seus rios; e os belos prédios do período anterior à Guerra de Secessão transmitiam aquela graça sulina que um dia foi tão característica de Washington. A entrada nas enfermarias, no entanto, destruía a ilusão gerada pela elegância da arquitetura e do paisagismo. De imediato, surgia a horrenda realidade da aparência, dos sons e dos cheiros da insanidade. No hospital de Andrews, eu estava acostumada a ver quantidades relativamente grandes de enfermeiras nas enfermarias médicas e cirúrgicas, mas a enfermeira-chefe que estava nos ciceroneando explicou que no St. Elizabeths a relação era de noventa pacientes para um atendente psiquiátrico. Fascinada pela idéia de que se esperasse que uma pessoa controlasse tantos pacientes potencialmente violentos, perguntei como a equipe se protegia. Ela disse que havia medicamentos que tinham condição de controlar a maioria dos pacientes, mas que de vez em quando tornava-se necessário o uso de "jatos d'água". *"Jatos d'água"*?! Como alguém poderia ficar tão descontrolado a ponto de ser necessário um método de repressão tão brutal? Foi algo que não consegui tirar da cabeça.

Muito pior, porém, foi entrar na sala de estar diurna de uma das enfermarias femininas, ficar paralisada e olhar ao meu redor para as roupas absurdas, os maneirismos estranhos, o ritmo agitado de andar de um lado para o outro, a risada esquisita e eventuais berros dilacerantes. Uma mulher estava parada como uma cegonha, com uma perna dobrada; ela dava risinhos sem motivo lá com seus botões todo o tempo em que estive ali. Outra paciente, que no passado devia ter sido linda, estava no meio da sala falando sozinha enquanto trançava e destrançava os cabelos longos e avermelhados. O tempo todo, ela vigiava com olhares rápidos os movimentos de qualquer um que tentasse se aproximar dela. A princípio, senti medo dela, mas também estava intrigada, como que encantada. Caminhei lentamente na sua direção. Afinal, depois de ficar parada alguns minutos a poucos passos dela, reuni coragem suficiente para lhe perguntar por que estava internada. A essa altura, percebi com o canto do olho que todas as outras voluntárias estavam amontoadas, conversando entre si, num canto distante da sala. Resolvi, no entanto, ficar onde estava; minha curiosidade havia aberto brechas importantes nos meus medos.

A paciente, enquanto isso, ficou olhando através de mim por muito tempo. Depois, virando-se de lado para não me dirigir o olhar, ela explicou por que estava no St. Elizabeths. Seus pais, disse ela, haviam posto uma máquina de fliperama na sua cabeça quando estava com cinco anos de idade. As bolas vermelhas lhe diziam quando devia rir; as azuis, quando devia se calar e se afastar das pessoas; as verdes diziam para ela começar a multiplicar por três. De poucos em poucos dias uma bola prateada surgia entre os pinos da máquina. Nesse ponto, ela voltou a cabeça e fixou o olhar em mim. Supus que estivesse verificando se eu ainda estava ouvindo. É claro que eu estava. Como alguém poderia não prestar atenção? A história toda era absurda, mas fascinante. Perguntei-lhe o que significava a bola prateada. Ela olhou para mim atentamente e em seguida sua expressão se amorteceu. Ela fixou o olhar no espaço, enredada em algum universo interior. Nunca descobri o que a bola prateada representava.

Embora fascinada, eu estava basicamente assustada pela estranheza das pacientes, bem como pelo perceptível nível de terror na sala. Ainda pior do que o terror, porém, eram as expressões de dor nos olhos das mulheres. Alguma parte de mim procurava instintivamente alcançá-las e, de um modo indefinível, compreendia essa dor, sem jamais imaginar que um dia eu olharia no espelho e veria sua tristeza e insanidade nos meus próprios olhos.

Ao longo da minha adolescência, tive a sorte de receber forte estímulo no sentido de me dedicar aos meus interesses médicos e científicos, não apenas pelos meus pais e pelos médicos em Andrews, mas por muitos dos amigos dos meus pais também. Famílias no serviço meteorológico costumavam ser designadas para as mesmas bases militares, e as transferências de uma família em especial coincidiam com as nossas. Éramos extraordinariamente unidos. Fazíamos piqueniques juntos, tirávamos férias juntos, dividíamos babás e íamos como um rebanho de dez ao cinema, a jantares e a festas no Clube de Oficiais. Quando pequenos, meu irmão, minha irmã e eu brincávamos de esconder com seus três filhos. À medida que fomos crescendo, passamos para o *softball*, aulas de dança, festas sérias, festas um pouquinho menos sérias e, então, inevitavelmente, crescemos e seguimos cada qual seu caminho. Quando crianças, porém, éramos praticamente inseparáveis em Washington e Tóquio, e de novo de volta a Washington. Sua mãe – uma católica irlandesa ruiva, prática, independente, animada, divertida e carinhosa – criou um segundo lar para mim, e eu costumava entrar na sua casa e sair dela como fazia na minha, ficando lá tempo suficiente para apreciar o aroma de tortas e biscoitos, o aconchego, o riso e horas de bate-papo. Ela e minha mãe eram, e de fato ainda são, grandes amigas, e ela sempre fez com que eu me sentisse parte da sua ninhada ampliada. Ela era enfermeira e ouvia com atenção enquanto eu descrevia minuciosamente meus planos grandiosos para a faculdade de medicina, para as pesquisas e os trabalhos escritos. De vez em quando ela interrompia com um "É mesmo, isso é muito interessante", "É claro que pode fazer isso" ou "Você já pensou em...?". Nunca, mas nunca mesmo, houve um "Não sei se essa idéia é muito prática" ou "Por que você não espera para ver como as coisas vão ser?"

Seu marido, um matemático e meteorologista, era exatamente do mesmo estilo. Ele sempre tinha o cuidado de me perguntar qual era meu último projeto, o que eu estava lendo, que tipo de animal eu estava dissecando e por quê. Ele conversava a sério comigo sobre a ciência e a medicina, e me estimulou a ir até onde conseguisse com meus planos e sonhos. Ele, como meu pai, tinha um profundo amor pela ciência natural; e costumava argumentar em detalhes que a física, a filosofia e a matemática, cada uma a seu modo, eram amantes ciumentas que exigiam paixão e atenção absolutas. É só agora, ao voltar o olhar para o passado – depois de experiências de esvaziamento mais recentes na vida, quando me disseram para baixar minhas expectativas ou refrear meus entusiasmos – que dou pleno valor à seriedade com que minhas idéias eram acolhidas pelos meus pais e pelos seus amigos. E é só agora que começo de fato a compreender como era desesperadamente importante, tanto para minha vida intelectual quanto para a emocional, que meus pensamentos e entusiasmos fossem alvo não só de respeito mas de incentivo vigoroso. Um temperamento ardente torna as pessoas vulneráveis aos que gostam de matar os sonhos, e eu tive mais sorte do que percebi por ter sido criada entre entusiastas e pessoas que amavam entusiastas.

Portanto, eu vivia em contentamento quase total: tinha amigos maravilhosos, uma vida cheia e ativa, com natação, equitação, *softball,* festas, namorados, verões na Chesapeake e todo o resto que caracteriza o início da vida. No meio de tudo isso, no entanto, havia, um gradual despertar para a realidade do que significava ser uma garota cheia de vida, de temperamento algo instável, num mundo militar extremamente tradicional. A independência, o temperamento e o fato de ser menina eram uma difícil combinação no estranho universo do cotilhão. O Cotilhão Naval era o lugar onde se esperava que os filhos de oficiais aprendessem as minúcias das boas maneiras, da dança, das luvas brancas e outras ficções da vida. Era também ali que as crianças deviam aprender, como se os quatorze ou quinze anos anteriores ainda não lhes houvessem ensinado sobejamente, que os generais são superiores aos coronéis, que por sua vez são superiores aos majores, capitães e tenentes; e que todos, absolutamente todos, são superiores às crianças. Nas fileiras infantis, os meninos sempre são superiores às meninas.

Uma forma de forçar essa hierarquia especialmente irritante às meninas consistia em lhes ensinar a antiga e ridícula arte da mesura. É difícil imaginar que alguém em pleno uso da razão considerasse a mesura uma atitude minimamente tolerável. Já eu, com a vantagem de ter recebido uma educação liberal de um pai partidário do não-conformismo no comportamento e nas opiniões, considerava inconcebível que alguém pudesse realmente esperar que eu agisse daquele modo. Vi a fila de garotas em crinolinas engomadas à minha frente e observei enquanto cada uma fazia uma reverência elegante. Bobalhonas, pensei, bobalhonas. Chegou, então, minha vez. Alguma coisa dentro de mim entrou em ebulição. Eram vezes demais vendo garotas demais tendo de se submeter. E o mais enfurecedor era ver uma vez mais que as meninas aceitavam de bom grado os ritos da submissão. Eu me recusei. Uma questão sem importância, talvez, num outro universo, mas dentro do mundo do protocolo e dos costumes militares – onde os símbolos e a obediência eram tudo e onde o mau comportamento de uma criança podia prejudicar uma chance de promoção do pai – aquilo foi uma declaração de guerra. Por mais absurdo que fosse o pedido, simplesmente não existia a possibilidade de uma criança se recusar a obedecer a um adulto. A Srta. Courtnay, nossa professora de dança, me fuzilou com um olhar. Eu me recusei novamente. Ela disse que tinha certeza de que o Coronel Jamison ficaria terrivelmente amolado com essa minha atitude. Respondi que tinha certeza de que o Coronel Jamison não dava a mínima. Eu estava errada. Revelou-se que o Coronel Jamison se importava. Por mais ridículo que ele considerasse ensinar as meninas a fazer reverência diante de oficiais e das suas esposas, ele se importava muito mais com o fato de eu ter sido grosseira com alguém. Eu pedi desculpas, e depois ele e eu elaboramos uma mesura conciliatória, que envolvia o mínimo de flexão dos joelhos e de inclinação do corpo. Foi um ajuste delicado e uma das soluções tipicamente engenhosas do meu pai para uma situação intrinsecamente constrangedora. Eu não gostava das reverências, mas adorava a elegância dos uniformes de gala, a música e a dança, bem como a beleza das noites de bailes formais. Por mais que precisasse da minha independência, eu estava aprendendo que seria sempre atraída também para o mundo da tradição. Havia uma maravilhosa sensação de segurança nesse mundo militar entrincheirado. As expectativas eram claras, e as desculpas eram poucas. Era uma sociedade que acreditava genuinamente no jogo limpo, na honra, na coragem física e na disposição de morrer pela pátria. É verdade que ela exigia uma certa lealdade cega como condição para pertencer a ela, mas tolerava, porque tinha de tolerar, muitos rapazes quixotescos e cheios de vida que expunham suas vidas a riscos assombrosos. E tolerava, porque tinha de tolerar, um grupo de cientistas ainda menos disciplinados em termos sociais, muitos dos quais eram meteorologistas, e a maioria dos quais adorava os céus quase tanto quanto os pilotos adoravam. Era uma sociedade construída em torno da tensão entre a aventura e a disciplina: um complexo mundo de empolgação, insensatez, busca do prazer e morte súbita, e uma janela de volta no tempo mostrando como deveria ter sido a vida no século XIX, no que tinha de melhor e de pior: civilizada, graciosa, elitista e especialmente intolerante para com as fraquezas pessoais. Uma disposição a sacrificar os próprios desejos era um pressuposto; o autocontrole e a repressão eram tidos como líquidos e certos.

Minha mãe uma vez me falou sobre um chá ao qual havia comparecido na casa do comandante do meu pai. A esposa do comandante era casada com um piloto, à semelhança das mulheres que ela havia convidado para o chá. Parte do seu papel consistia em conversar com as jovens esposas sobre todos os assuntos, desde questões de etiqueta, como por exemplo como organizar um jantar festivo, até a participação nas atividades comunitárias da base aérea. Depois de debater essas questões por algum tempo, ela se voltou para o verdadeiro tópico preparado. Os pilotos, disse ela, não deveriam nunca estar zangados ou irritados quando saem para voar. A irritação pode levar a uma falha de concentração ou de decisão. Acidentes de vôo poderiam acontecer; pilotos poderiam morrer. Portanto, a esposa do piloto não deveria jamais ter nenhum tipo de discussão com o marido antes de ele sair em missão de vôo. O domínio sobre si mesma e o comedimento não eram características apenas desejáveis na mulher; elas eram essenciais.

Como minha mãe me disse mais tarde, já era suficientemente desagradável ter de morrer de preocupação cada vez que o marido levantava vôo; agora, estavam lhe dizendo que ela também deveria se sentir responsável se seu avião caísse. A raiva e a insatisfação deveriam ser guardadas no íntimo de cada uma, para que não causassem mortes. Os militares, ainda mais do que o restante da sociedade, valorizavam nitidamente as mulheres bem-comportadas, bem-educadas e equilibradas.

Se alguém me houvesse dito, naqueles dias aparentemente descomplicados de luvas brancas e chapéus de abas largas, que dentro de dois anos eu estaria psicótica, só querendo morrer, eu teria rido, estranhado a idéia e seguido em frente. Mas a reação principal teria sido o riso.

E então, enquanto eu estava me acostumando a essas mudanças e paradoxos, e pela primeira vez me sentindo enraizada em Washington, meu pai reformou-se da Força Aérea e aceitou um emprego como cientista na Rand Corporation na Califórnia. Era 1961, eu estava com quinze anos de idade, e tudo no meu mundo começou a desmoronar.

Meu primeiro dia na escola secundária de Pacific Palisades – que, como de costume para os filhos de militares, foi meses depois do início do ano letivo para todos os outros alunos – me proporcionou as primeiras pistas para o fato de que a vida ia ser terrivelmente diferente. Ele começou com o costumeiro canto ritual da mudança de escola, ou seja, ficar em pé diante de uma sala de aula cheia de perfeitos desconhecidos e resumir a vida em três minutos agonizantes. Isso já era bem difícil numa escola cheia de filhos de militares, mas era absolutamente ridículo diante de um grupo de prósperos e sofisticados moradores do sul da Califórnia. Assim que informei que meu pai havia sido oficial da Força Aérea, percebi que poderia ter dito que ele era um furão de patas pretas ou uma salamandra carolinense. O silêncio foi total. As únicas espécies de pais reconhecidas em Pacific Palisades eram as dos que trabalhavam "na indústria" (ou seja, na indústria cinematográfica), dos ricos, dos advogados consultores de empresas, dos empresários ou dos médicos de grande sucesso. Meu entendimento da expressão "escola civil" foi aprimorado pelas gargalhadas que acompanhavam de imediato meus "Sim, senhora" e "Não, senhor" aos professores.

Durante muito tempo, eu me senti totalmente perdida. Minha saudade de Washington era enorme. Lá eu havia deixado um namorado, sem o qual eu me sentia desesperadamente infeliz. Ele era louro, tinha olhos azuis, era divertido, gostava de dançar, e nós raramente nos separávamos nos meses anteriores à minha saída de Washington. Ele foi minha introdução à independência da minha família, e eu acreditava, como a maioria dos adolescentes de quinze anos, que nosso amor duraria para sempre. Eu também deixava para trás uma vida que havia sido repleta de bons amigos, união em família, grande abundância de carinho e risos, tradições que eu conhecia e amava e uma cidade que era um lar para mim. Mais importante ainda, eu deixava para trás um estilo de vida conservador e militar que conhecia desde minhas lembranças mais remotas. Eu havia feito o maternal, o jardim de infância, e uma boa parte do primeiro grau em bases da Marinha ou da Força Aérea. As escolas da quinta à oitava série em Maryland, embora não fossem na realidade em bases militares, eram freqüentadas principalmente por filhos de militares, de funcionários do governo federal ou de diplomatas. Era um mundo pequeno, aconchegante, enclausurado e pouco ameaçador. A Califórnia, ou pelo menos Pacific Palisades, me parecia bastante fria e escandalosa. Perdi quase totalmente meus pontos de referência e, apesar de parecer me ajustar rapidamente a uma nova escola e conseguir novos amigos – duas tarefas relativamente facilitadas por inúmeras mudanças de escolas no passado que haviam criado em mim uma espécie de camaradagem extrovertida – eu me sentia profundamente infeliz. Passava boa parte do meu tempo em lágrimas ou escrevendo cartas para meu namorado. Eu estava furiosa com meu pai por ter arrumado emprego na Califórnia em vez de permanecer em Washington, e esperava ansiosa por telefonemas ou cartas dos meus amigos. Em Washington, eu havia sido líder da escola e capitã de todas as minhas equipes. Praticamente não havia competição acadêmica séria, e o estudo era repetitivo, monótono e não exigia esforço. A escola em Palisades era outra coisa: os esportes eram diferentes, eu não conhecia ninguém, e demorou muito tempo para que eu me firmasse como atleta. O que era mais perturbador era que o nível de competição acadêmica era feroz. Eu estava atrasada em todas as matérias que vinha estudando e pareci levar uma eternidade para alcançar os outros. Na realidade, acho que nunca alcancei. Por um lado, era emocionante estar ao lado de tantos alunos inteligentes e competitivos. Por outro lado, era diferente, humilhante e muito desestimulante. Não foi fácil ter de reconhecer minhas limitações muito reais em termos de formação e capacidade. Aos poucos, porém, comecei a me adaptar à nova escola, consegui reduzir a distância acadêmica que me separava dos meus colegas e fiz novos amigos.

Por mais absurdo que esse novo mundo me parecesse, assim como eu a ele, eu na verdade passei a gostar dele. Uma vez superados os choques iniciais, considerei a maioria das minhas experiências na escola secundária uma formação notável. Parte dela chegou a se dar na sala de aula. Eu considerava fascinantes as conversas altamente explícitas dos meus novos colegas. Todo o mundo parecia ter pelo menos um, às vezes dois ou mesmo três padrastos ou madrastas, dependendo do número de divórcios na sua casa. Os recursos financeiros dos meus amigos eram de proporções espantosas, e muitos tinham uma familiaridade com o sexo que era suficientemente extensa para me fornecer uma base muito interessante. Meu novo namorado, que estava na faculdade, forneceu o resto. Ele estudava na UCLA, onde eu trabalhava como voluntária nos fins de semana no departamento de farmacologia. Ele também era tudo que eu imaginava querer na época: era mais velho, era bonito, preparava-se para ser médico, era louco por mim, tinha seu próprio carro e, como meu primeiro namorado, adorava dançar. Nosso relacionamento durou o tempo que estive no segundo grau e, ao olhar em retrospectiva, creio que era mais uma forma de me afastar de casa e do tumulto do que qualquer tipo de envolvimento romântico sério.

Também soube pela primeira vez o que era ser WASP*, que eu era uma e que na melhor das hipóteses não se sabia se isso era bom ou não. Ao que pude descobrir, nunca tendo ouvido esse termo até chegar à Califórnia, ser WASP significava ser quadrada, determinada, rígida, sem senso de humor, fria, sem graça, insípida, com uma inteligência me-

---

* WASP são as iniciais de *White Anglo-Saxon Protestant*, protestante, anglo-saxão branco, classe dominante nos E.U.A. (N. da T.)

nos do que penetrante, mas sob outros aspectos – o que era inexplicável – digna de ser invejada. Era, e continua sendo, um conceito muito estranho para mim. Em termos imediatos, tudo isso contribuía para uma certa fragmentação social na escola. Um grupo, que ia à praia de dia e a festas à noite, tinha uma tendência ao estilo WASP; o outro, ligeiramente mais informal e cheio de tédio, se inclinava para os interesses intelectuais. Eu acabei me deixando levar de um mundo para o outro, sentindo-me em geral à vontade nos dois, mas por motivos muito diferentes. O mundo WASP proporcionava um vínculo tênue porém importante com meu passado; o mundo intelectual, no entanto, tornou-se a peça de sustentação da minha existência e um forte alicerce para meu futuro acadêmico.

O passado era, de fato, o passado. O confortável universo de Washington e da vida militar estava terminado. Tudo havia mudado. Meu irmão saiu de casa para a faculdade antes da nossa mudança para a Califórnia, deixando um enorme buraco na minha rede de segurança. Meu relacionamento com minha irmã, que sempre havia sido difícil, havia se tornado, na melhor das hipóteses, irascível, com freqüência antagônico e, o que era mais comum, simplesmente distante. Ela enfrentou problemas muito maiores do que eu para se ajustar à Califórnia, mas nós nunca chegamos a falar muito sobre isso. Vivíamos, quase totalmente, cada uma a sua vida; e não teria feito muita diferença se estivéssemos morando em casas diferentes. Meus pais, embora ainda vivessem juntos, estavam essencialmente afastados. Minha mãe estava ocupada dando aulas, cuidando de todos nós e fazendo pós-graduação. Meu pai estava envolvido com seu trabalho científico. Eventualmente, seu estado de espírito ainda subia aos céus. E, quando isso acontecia, a alegria e a efervescência que ele emitia criava um brilho, um calor e uma felicidade que enchiam todos os aposentos da casa. Às vezes ele superava as fronteiras da razão, e suas idéias grandiosas começaram a forçar os limites do que a Rand poderia tolerar. A certa altura, por exemplo, ocorreu-lhe um método que atribuía pontos de QI a centenas de indivíduos, a maioria dos quais já falecidos. O raciocínio era engenhoso, mas perturbadoramente idiossincrático. Além do mais, não tinha absolutamente nada a ver com a pesquisa meteorológica que ele estava sendo pago para realizar.

Acompanhando sua capacidade para o vôo, vinham seus estados mais sombrios, e as trevas das suas depressões impregnavam o ar tanto quanto a música nos seus períodos mais felizes. Cerca de um ano após a mudança para a Califórnia, os estados de espírito de meu pai foram ficando cada vez mais lúgubres, e eu me sentia incapaz de afetá-los. Eu não parava de esperar pela volta dos risos, da animação e dos entusiasmos assombrosos; mas, a não ser por raras aparições, eles haviam cedido lugar à raiva, ao desespero e a um árido retraimento emocional. Depois de algum tempo, eu mal o reconhecia. Às vezes, a depressão o imobilizava, deixando-o incapaz de se levantar da cama e profundamente pessimista quanto a todos os aspectos da vida e do futuro. Em outras ocasiões, sua fúria e seus berros me enchiam de terror. Eu nunca havia visto meu pai – homem delicado e de voz discreta – levantar a voz. Agora havia dias e até mesmo semanas em que eu sentia medo demais para aparecer para o café da manhã ou para voltar da escola para casa. Ele também começou a beber muito, o que piorou tudo. Minha mãe estava tão perplexa e assustada quanto eu, e nós duas procurávamos cada vez mais uma válvula de escape no trabalho e nos amigos. Eu passava ainda mais tempo do que de costume com minha cachorra. Nossa família a havia adotado quando filhote perdida ainda em Washington, e ela e eu íamos juntas para todos os lugares. Ela dormia na minha cama à noite e passava horas ouvindo minhas histórias de sofrimento. Era, como a maioria dos cachorros, uma boa ouvinte, e houve muitas noites em que eu chorava até dormir com os braços em volta do seu pescoço. Ela, meu namorado e meus novos amigos tornaram possível para mim a sobrevivência ao tumulto da vida na nossa casa.

Logo descobri que não era só meu pai que era dado a humores sinistros e caóticos. Quando eu estava com dezesseis ou dezessete anos, já estava claro que minhas energias e meus entusiasmos podiam deixar exaustas as pessoas ao meu redor; e que, depois de longas semanas de vôos altos e pouco sono, minha cabeça dava um mergulho na direção do lado realmente escuro e taciturno da vida. Meus dois melhores amigos, ambos rapazes – atraentes, sardônicos e cheios de vitalidade – também eram um pouco inclinados para o lado mais sombrio, e nós nos tornamos um trio eventualmente perturbado, embora conseguíssemos navegar pelo lado mais normal e divertido da vida escolar. Na realidade, todos nós ocupávamos várias posições de liderança na escola e éramos muito atuantes nos esportes e em outras atividades extracurriculares. Enquanto na escola vivíamos nesses terrenos mais leves, urdíamos juntos nossas vidas no mundo lá fora com uma forte amizade, risos, profunda seriedade, fumo, bebida, jogos da verdade que duravam a noite inteira e discussões apaixonadas sobre a direção que nossas vidas estavam tomando, sobre os detalhes e as razões da morte; ouvíamos Beethoven, Mozart e Schumann e debatíamos com vigor as leituras melancólicas e existenciais – Hesse, Byron, Melville e Hardy – que nos havíamos proposto. Os três chegamos ao nosso caos sinistro com franqueza: dois de nós, descobriu-se mais tarde, apresentavam a doença maníaco-depressiva nos parentes mais próximos; a mãe do outro havia se suicidado com um tiro no coração. Vivenciamos juntos o surgimento da dor que cada um viria a conhecer, mais tarde, sozinho. No meu caso, este mais tarde revelou-se bem mais cedo do que eu teria desejado.

 Eu estava no último ano do segundo grau quando sofri minha primeira crise maníaco-depressiva. Uma vez iniciado o cerco, perdi a razão rapidamente. No início, tudo parecia tão fácil. Eu corria de um lado para o outro como uma doninha enlouquecida, cheia de planos e entusiasmos borbulhantes, mergulhada nos esportes, passando a noite inteira acordada, noite após noite, saindo com amigos, lendo tudo que me caísse nas mãos, enchendo cadernos com poemas e fragmentos de peças, e fazendo planos extensos, totalmente fora da realidade, para o futuro. O mundo era só prazer e esperança; eu me sentia ótima. Não apenas ótima; eu me sentia *realmente* ótima. Tinha a impressão de que conseguiria fazer qualquer coisa, de que nenhuma tarefa seria difícil demais. Minha cabeça parecia ter clareza, uma capacidade de concentração fabulosa, e ter condição de fazer saltos matemáticos intuitivos que até aquele ponto me escapavam. Na verdade, eles ainda me escapam. Naquela época, porém, tudo não só fazia perfeito sentido como também tudo parecia se encaixar num tipo maravilhoso de inter-relação cósmica. Minha sensação de encantamento com as leis do mundo natural fazia com que minha efervescência transbordasse, e eu me descobria obrigando meus amigos a me escutar enquanto eu lhes dizia como tudo era lindo. Eles não ficavam exatamente em transe com meus *insights* dos entrelaçamentos e das belezas do universo, embora ficassem consideravelmente impressionados pelo grau de exaustão provocado em quem estivesse ao alcance das minhas divagações entusiásticas: "Você está falando rápido demais, Kay. Mais devagar, Kay. Você está me matando de cansaço, Kay. Mais devagar, Kay." E naquelas vezes em que eles não chegavam a dizer as palavras, eu ainda podia ver nos seus olhos: "Pelo amor de Deus, Kay, mais devagar."

Eu finalmente reduzi a velocidade. Na realidade, parei de uma vez. Ao contrário dos episódios muito graves de mania que vieram anos mais tarde e que foram se agravando até o descontrole psicótico, essa primeira onda constante de mania branda foi um quadro leve e agradável de mania verdadeira. Como centenas de períodos subseqüentes de alto nível de entusiasmo, ela foi breve e se extinguiu rapidamente. Cansativo para meus amigos, talvez; extenuante e emocionante para mim, sem dúvida; mas não exagerado a ponto de perturbar. E então o chão começou a sumir debaixo da minha vida e da minha cabeça. Meu raciocínio, longe de ser límpido como um cristal, ficou tortuoso. Eu lia o mesmo trecho repetidas vezes, só para perceber que não tinha absolutamente nenhuma lembrança do que acabava de ler. A cada livro ou poema que eu apanhava, ocorria o mesmo. Incompreensível. Nada fazia sentido. Eu não conseguia nem começar a acompanhar a matéria apresentada nas aulas e me via olhando pela janela sem fazer a menor idéia do que estava acontecendo à minha volta. Foi muito assustador.

Eu estava acostumada a que minha mente fosse minha melhor amiga; a ter conversas intermináveis dentro da minha cabeça; a ter uma fonte embutida de riso ou de pensamento analítico para me salvar de situações entediantes ou dolorosas. Eu contava com a perspicácia, o interesse e a lealdade da minha mente, como algo natural. Agora, de repente, ela se voltava contra mim: zombava dos meus entusiasmos insossos; ria dos meus planos tolos; já não considerava nada interessante, divertido ou digno de atenção. Ela estava incapaz de concentrar o raciocínio e se voltava continuamente para o tema da morte: eu ia morrer, que diferença fazia qualquer coisa? O curso da vida era breve e sem significado, por que viver? Eu me sentia totalmente exausta e mal conseguia me forçar a sair da cama de manhã. Eu levava o dobro do tempo normal para caminhar até algum lugar e usava as mesmas roupas repetidamente porque daria trabalho demais decidir que outra roupa usar. Eu temia ter de conversar com as pessoas, evitava meus amigos sempre que possível, e ficava sentada na biblioteca da escola no início da manhã e no final da tarde, praticamente inerte, com o coração morto e o cérebro frio como o barro.

Todos os dias eu acordava num cansaço profundo, sensação tão estranha à minha natureza quanto o tédio ou a indiferença diante da vida. Esses vieram em seguida. E depois uma preocupação desolada e árida com a morte, com o fato de morrer, com a decomposição; se tudo nasce apenas para morrer, melhor morrer agora e evitar a dor enquanto se espera. Eu arrastava minha mente e meu corpo exaustos por um cemitério local, calculando quanto tempo cada um dos seus ocupantes havia vivido antes do momento final. Ficava sentada nos túmulos escrevendo poemas longos, mórbidos, enfadonhos, convencida de que meu cérebro e meu corpo estavam em decomposição, de que todos sabiam e ninguém queria dizer. Inseridos na exaustão havia períodos de inquietação frenética e horrível. Por mais que eu corresse, não conseguia alívio. Durante algumas semanas, tomei vodca no meu suco de laranja antes de sair para a escola pela manhã, e pensava obsessivamente em me matar. Um tributo à minha capacidade de apresentar uma imagem tão diferente da forma como me sentia foi o fato de que poucos perceberam que eu estava diferente sob algum aspecto. É certo que ninguém na minha família percebeu. Dois amigos ficaram preocupados, mas eu fiz com que jurassem manter segredo quando eles me pediram para falar com meus pais. Um professor notou, e a mãe de um amigo me chamou em particular para perguntar se estava acontecendo algo de errado. Menti prontamente: "Estou bem, mas obrigada por perguntar."

Não faço a menor idéia de como consegui passar por normal na escola, a não ser porque as pessoas geralmente estão envolvidas com suas próprias vidas e raramente notam o desespero nos outros se os que estão em desespero fazem um esforço para disfarçar a dor. Eu não fiz apenas um esforço, mas um esforço tremendo para não ser notada. Eu sabia que havia algo de terrivelmente errado, mas não fazia idéia do que seria; e havia sido criada de modo a acreditar que as pessoas devem guardar seus problemas para si. Partindo-se daí, revelou-se perturbadoramente fácil manter meus amigos e família a uma distância psicológica. "Efetivamente", escreveu Hugo Wolf "às vezes pareço alegre e afável; converso também com os outros de modo bastante razoável; e a impressão é de que, só Deus sabe como, me sinto bem. No entanto, a alma permanece no seu sono mortal, e o coração sangra por mil feridas abertas."

Era impossível evitar ferimentos terríveis em minha mente e em meu coração – o choque de ter sido tão incapaz de compreender o que vinha acontecendo comigo, a certeza de que meus pensamentos haviam estado tão fora de controle e a consciência de que eu havia estado tão deprimida a ponto de só querer morrer –, e alguns meses se passaram até que os ferimentos pudessem começar a fechar.

Em retrospectiva, fico assombrada de ter sobrevivido, de ter sobrevivido sozinha e de aquele período ter contido uma vida tão complicada e uma morte tão palpável. Amadureci rapidamente durante aqueles meses, como seria necessário com tanta perda da identidade, tanta proximidade da morte e tanta distância de algum refúgio.

Formação para a Vida

Eu estava com dezoito anos quando iniciei, relutante, meus estudos de graduação na Universidade da Califórnia, Los Angeles. Não era lá que eu queria estudar. Durante anos havia guardado no fundo do meu porta-jóias um alfinete de ouro e esmalte vermelho da Universidade de Chicago que havia recebido do meu pai. Havia uma delicada corrente de ouro que unia as duas partes do alfinete, e eu o considerava lindíssimo. Queria conquistar o direito de usá-lo. Também queria ir para a Universidade de Chicago porque sua reputação era de tolerância, para não dizer incentivo, ao não-conformismo; e porque tanto meu pai quanto o pai de minha mãe, que era físico, haviam feito lá sua pós-graduação. Em termos financeiros, isso era impossível. O comportamento imprevisível do meu pai lhe havia custado seu emprego na Rand. Assim, ao contrário dos meus amigos – que foram para Harvard, Stanford ou Yale – eu me inscrevi na Universidade da Califórnia. Minha decepção era profunda; eu estava ansiosa para sair da Califórnia, para ficar sozinha e freqüentar uma universidade relativamente pequena. A longo prazo, porém, a UCLA revelou-se o melhor lugar possível para mim. A Universidade da Califórnia me proporcionou uma formação idiossincrática e excelente, uma oportunidade para fazer pesquisas independentes e o amplo espaço que talvez só uma grande universidade tenha condições de dar a um temperamento tempestuoso. No entanto, ela não pôde fornecer nenhuma proteção significativa contra a terrível agitação e dor dentro da minha cabeça.

Para muitas pessoas que conheço, os tempos da faculdade foram os melhores da sua vida. Para mim, isso é inconcebível. Os tempos de faculdade foram, principalmente, uma luta terrível, um pesadelo recorrente de estados de espírito violentos e apavorantes aliviados somente de vez em quando por semanas, às vezes meses, de grande diversão, paixão, fortes entusiasmos e longos períodos de trabalho muito árduo mas agradável. Esse padrão de instabilidade de humor e energia tinha um aspecto muito sedutor, decorrente em grande proporção das infusões intermitentes da animação inebriante que eu havia saboreado na escola secundária. Essas infusões eram extraordinárias, inundando meu cérebro com uma enxurrada de idéias e energia mais do que suficiente para me dar pelo menos a ilusão de executá-las. Meu costumeiro conservadorismo estilo Brooks Brothers ia por água abaixo. As bainhas das minhas saias subiam, os decotes baixavam, e eu aproveitava a sensualidade da minha juventude. Quase tudo era exagerado. Em vez de comprar uma sinfonia de Beethoven, eu comprava nove. Em vez de me matricular em cinco matérias, eu me matriculava em sete. Em vez de comprar duas entradas para um concerto, eu comprava oito ou dez.

Um dia, durante meu ano de caloura, eu estava caminhando pelo jardim botânico da UCLA e, ao contemplar o pequeno córrego que atravessa o jardim, tive a lembrança repentina e vigorosa de uma cena de *Idylls of the King*, de Tennyson. Creio eu, algo relacionado à Dama do Lago. Levada por uma sensação de urgência imediata e apaixonante, saí correndo para a livraria para ver se encontrava um exemplar, o que consegui. Quando saí do prédio, estava sobrecarregada com no mínimo vinte livros, alguns dos quais relacionados ao poema de Tennyson, mas outros que apresentavam uma ligação apenas tangencial, se é que alguma ligação havia, com a lenda arturiana: *Le Morte d'Arthur* de Malory e *The Once and Future King* de T. H. White estavam incluídos na compra, assim como *The Golden Bough*, *The Celtic Realm*, *The Letters of Héloïse and Abelard*, livros de Jung, livros de Robert Graves, livros sobre Tristão e Isolda, antologias de mitos da criação e coletâneas de contos de fadas escoceses. Na ocasião, todos pareciam estar muito relacionados entre si. Eles não só pareciam estar relacionados mas, juntos, pareciam conter algum segredo essencial para a visão de mundo grandiosamente desnorteada que minha mente começava a moldar. A tragédia arturiana explicava tudo o que se precisava saber sobre a natureza humana – suas paixões, traições, violência, graça e aspirações – e minha cabeça seguia em frente, impulsionada pela certeza da verdade absoluta. Naturalmente, considerando-se a universalidade dos meus *insights*, essas compras pareciam absolutamente essenciais na época. De fato, elas possuíam uma certa lógica de enlevo. No mundo das realidades mais prosaicas, porém, eu não tinha condições de bancar o tipo de compra impulsiva que isso representava. Eu estava trabalhando de vinte a trinta horas por semana para pagar a faculdade, e não havia absolutamente nenhuma folga no orçamento para as despesas que eu fazia nesses períodos de alto entusiasmo. Infelizmente, os avisos cor-de-rosa de saques a descoberto enviados pelo meu banco pareciam sempre chegar quando eu estava nas garras das depressões que inevitavelmente acompanhavam minhas semanas de exaltação.

Da mesma forma que havia acontecido durante meu último ano no segundo grau, meus estudos durante esses períodos galvanizados pareciam muito objetivos, e eu considerava absurdamente fáceis as provas, o trabalho de laboratório e os trabalhos escritos durante as semanas de duração da fase de animação. Eu também costumava ficar imersa numa variedade de causas políticas e sociais que incluíam tudo, desde manifestações no *campus* contra a guerra até fanatismos ligeiramente mais idiossincráticos, como o protesto contra indústrias de cosméticos que matavam tartarugas para fabricar e vender produtos de beleza. A certa altura, fiz piquete diante de uma loja de departamentos da cidade com um cartaz feito em casa que mostrava duas tartarugas marinhas muito mal desenhadas avançando pela areia, com algumas estrelas no céu – na minha opinião, uma indicação esmagadora da sua notável capacidade para a navegação – com as palavras SUA BELEZA LHES CUSTOU A PELE escritas em letras grandes e vermelhas abaixo do desenho.

E depois, como a noite inevitavelmente se segue ao dia, meu ânimo entrava em colapso, e minha mente parava de chofre. Eu perdia todo o interesse pelo trabalho acadêmico, pelos amigos, pela leitura, por passeios ou por sonhar acordada. Eu não fazia nenhuma idéia do que estava acontecendo comigo, e costumava acordar pela manhã com uma profunda sensação de pavor por ter de conseguir atravessar mais um dia inteiro. Eu ficava horas a fio sentada na biblioteca da graduação, incapaz de reunir energia suficiente para ir para a sala de aula. Perdia o olhar na janela, nos meus livros. Eu os arrumava, mudava de posição, deixava-os sem abrir e pensava em abandonar a faculdade. Quando eu chegava a ir à aula, era em vão. Era frustrante e doloroso. Eu tinha pouquíssima compreensão do que estava acontecendo e sentia que só a morte poderia me liberar da impressão avassaladora de incompetência e escuridão que me cercava. Eu me sentia totalmente só, e presenciar as conversas dos meus colegas de estudo só aumentava essa sensação. Parei de atender o telefone e tomava banhos quentes intermináveis na vã esperança de que pudesse de alguma forma escapar do entorpecimento e da melancolia.

Eventualmente, esses períodos de desespero total eram exacerbados por uma agitação terrível. Minha mente voava de um tema para outro mas, em vez de eu me sentir repleta de pensamentos exuberantes e cósmicos que estavam associados aos períodos anteriores de pensamento veloz, ela se apresentava impregnada de sons e imagens horríveis de morte e decomposição: corpos mortos na praia, restos carbonizados de animais, corpos com etiquetas nos pés em necrotérios. Durante esses períodos agitados, eu ficava extremamente irrequieta, furiosa e irritadiça; e o único meio para eu poder dissipar a agitação era correr pela praia ou andar de um lado para o outro dentro do meu próprio quarto, como um urso polar no zoológico. Eu não fazia idéia do que estava acontecendo e me sentia absolutamente incapaz de pedir ajuda a qualquer pessoa. Nunca me ocorreu que eu estivesse doente; meu cérebro simplesmente não encarava a situação nesses termos. Finalmente, porém, depois de assistir a uma aula sobre depressão no meu curso de psicopatologia, fui até o serviço de saúde do estudante com a intenção de pedir uma consulta com um psiquiatra. Cheguei até a escada do lado de fora da clínica mas só fui capaz de ficar ali sentada, paralisada de medo e vergonha, sem conseguir ir embora e sem conseguir entrar. Devo ter ficado ali sentada, soluçando, com a cabeça entre as mãos, por mais de uma hora. Depois saí dali e nunca mais voltei. Com o tempo, a depressão passou sozinha, mas só por um intervalo suficiente para se reorganizar e se mobilizar para o próximo ataque.

Para cada horror na vida, no entanto, parecia que me era concedido um acaso feliz. Um desses ocorreu no meu ano de caloura. Eu estava freqüentando um curso avançado de psicologia voltado para a teoria da personalidade, e o professor estava demonstrando métodos diferentes para avaliar a estrutura cognitiva e a personalidade. Ele exibiu pranchas de Rorschach diante da turma e pediu que escrevêssemos nossas respostas. Anos passados com o olhar perdido nas nuvens, a detectar seus desenhos, afinal tiveram sua utilidade. Naquele dia, minha mente estava voando alto, graças a não sei que tipo de combinação mágica de neurotransmissores que Deus havia programado nos meus genes, e eu enchi páginas e mais páginas com o que, aos meus olhos hoje, eram respostas muito estranhas. A turma era grande, e as respostas de todos foram passadas para a frente e entregues ao professor. Ele leu em voz alta a partir de uma espécie de seleção aleatória. A meio caminho, ouvi uma enumeração de associações algo esquisitas e percebi, com grande horror, que elas eram minhas. Algumas eram engraçadas, mas algumas eram simplesmente absurdas. Ou assim me pareceram. A maior parte da turma estava rindo, e eu olhava para meus pés, mortificada.

Quando o professor acabou de ler minhas páginas profusamente cobertas, ele pediu que a pessoa que havia escrito aquelas respostas específicas ficasse depois da aula para conversar um pouco com ele. Eu estava convencida de que, sendo ele psicólogo, veria nitidamente meus núcleos psicóticos. Fiquei apavorada. Em retrospectiva, o que imagino que ele tenha realmente visto era uma pessoa muito veemente, cheia de determinação, séria e provavelmente bastante perturbada. Na ocasião, por ter a consciência aguçada do meu nível real de perturbação, supus que a extensão dos meus problemas estivesse igualmente óbvia para ele. Ele me convidou para caminhar até seu escritório e, enquanto eu evocava imagens de internação numa enfermaria psiquiátrica, ele dizia que, em todos os seus anos de ensino, nunca havia encontrado respostas tão "imaginativas" ao teste de Rorschach. Ele teve a gentileza de chamar de "criativo" o que outros sem dúvida teriam chamado de "psicótico". Foi minha primeira lição na arte de apreciar as fronteiras permeáveis e complicadas entre o pensamento absurdo e o original, e eu lhe sou imensamente grata pela tolerância intelectual que atribuiu uma nuança positiva em vez de patológica ao que eu havia escrito.

O professor me fez perguntas sobre minha formação, e eu lhe expliquei que era caloura, que pretendia ser médica e que estava trabalhando para pagar a faculdade. Ele salientou os regulamentos da universidade que não permitiam que eu estivesse fazendo sua matéria, já que ela era apenas para o penúltimo e o último ano. E eu disse que sabia disso, mas a matéria era interessante e a norma me parecia totalmente arbitrária. Ele deu uma boa risada, e eu de repente percebi que finalmente estava numa situação em que alguém de fato respeitava minha independência. Não se tratava da Srta. Courtnay, e ninguém esperava que eu fizesse mesuras. Ele disse que na sua bolsa de pesquisas havia uma posição para um assistente de laboratório e me perguntou se eu me interessaria. Eu estava mais do que interessada.

Isso queria dizer que eu poderia abandonar o emprego implacavelmente monótono como caixa numa loja de roupas femininas e poderia aprender a fazer pesquisas.

Foi uma experiência maravilhosa. Aprendi a classificar e analisar dados, programar computadores, examinar a literatura pertinente a pesquisas, projetar estudos e a escrever trabalhos científicos para publicação. O professor com quem eu trabalhava estava estudando a estrutura da personalidade humana, e eu considerei absolutamente fascinante a idéia de investigar diferenças individuais entre as pessoas. Mergulhei no trabalho e descobri que ele era não só uma fonte de instrução e de renda, mas também um meio de fuga. Ao contrário da freqüência às aulas – que me pareciam sufocantes e, como o resto das programações do mundo, baseadas numa suposição de regularidade e constância no humor e no desempenho – a vida dedicada à pesquisa permitia uma independência e uma flexibilidade de programação que eu considerava estimulantes. Os administradores das universidades não levam em conta as pronunciadas alterações sazonais no comportamento e na capacidade que são parte integrante da vida dos maníaco-depressivos. Meu histórico da graduação foi, conseqüentemente, crivado de notas baixas e cursos incompletos, mas meus trabalhos de pesquisa, felizmente, compensavam minhas notas freqüentemente desanimadoras. Meus humores inconstantes e depressões profundas e recorrentes tiveram um preço enorme em termos pessoais e acadêmicos naqueles anos de faculdade.

Aos vinte anos de idade, depois de dois anos de curso básico, tirei um ano de folga do tumulto que minha vida se tornara para ir estudar na Universidade de St. Andrews, na Escócia. Meu irmão e meu primo estavam estudando em universidades inglesas na época, e sugeriram que eu fosse me reunir a eles. Mas eu havia sentido a profunda influência da música e da poesia escocesa que meu pai adorava, e havia algo de muito fascinante para mim na melancolia e na paixão celta que eu associava ao lado escocês dos meus ascendentes, muito embora eu ao mesmo tempo quisesse me afastar dos humores sombrios e imprevisíveis do meu pai. Não me afastar de todo, porém. Creio que eu tinha uma vaga noção de que poderia compreender melhor meu próprio pensamento e sentimentos caóticos se voltasse de algum modo à fonte. Candidatei-me a uma bolsa federal, o que permitiu que pela primeira vez eu me tornasse uma estudante em tempo integral, e deixei Los Angeles para passar um ano de ciência durante o dia e música e poesia à noite.

St. Andrews, dizia meu orientador, era o único lugar que ele conhecia em que a neve caía na horizontal. Eminente neurofisiologista, ele era um homem alto, desengonçado e divertido de Yorkshire que, como muitos dos seus irmãos ingleses, acreditava que um clima bastante superior, para não mencionar a civilização, terminava onde começava a terra escocesa. Ele tinha razão quanto ao clima. A antiga cidade de pedras cinzentas de St. Andrews fica localizada bem no litoral do Mar do Norte e recebe rajadas de vento no final do outono e no inverno que precisam ser sentidas para que se acredite nelas. Nessa época eu vivia na Escócia havia alguns meses e já acreditava firmemente. Os ventos eram especialmente fortes bem junto à área de East Sands, onde havia sido construído o laboratório de biologia marinha da universidade.

Éramos cerca de dez alunos de terceiro ano de zoologia, e estávamos sentados, tremendo, com várias camadas de roupas de lã, com luvas de lã e batendo os dentes no frio úmido do laboratório cheio de tanques. Meu orientador parecia ainda mais perplexo do que eu com o fato de eu estar nesses cursos avançados de zoologia. Ele era uma autoridade numa área do reino animal que poderia ser considerada um pouco especializada, ou seja, a do nervo auditivo do gafanhoto; e imediatamente antes dos seus comentários sobre as nevascas horizontais na Escócia, ele havia exposto ao domínio público minha espantosa ignorância em termos zoológicos.

A tarefa em questão consistia em obter registros eletrofisiológicos do nervo auditivo do gafanhoto. Os outros alunos – todos especializados em ciências há muitos anos – já haviam isolado, com competência, os pedacinhos necessários do inseto e passado aos registros. Eu não tinha a menor idéia do que estava fazendo. Meu orientador sabia disso, e eu me perguntava uma vez mais por que a universidade me havia inscrito nesse nível de estudos de ciências. Eu já havia conseguido tirar o gafanhoto da gaiola – como o ambiente era aquecido, eu havia prolongado em muito minha estada na sala de insetos – e afinal havia reduzido as partes do seu corpo a asas, corpo e cabeça. Isso não ia me levar muito longe. Eu sentia a presença alta do meu orientador atrás de mim e, ao me voltar, vi um sorriso sardônico no seu rosto. Ele foi até o quadro-negro, desenhou o que sem dúvida parecia um gafanhoto, fez um círculo em torno de uma região na cabeça do inseto e disse com seu sotaque mais sofisticado: "Para sua informação, Srta. Jamison, o ouvido fica aqui!" A turma caiu na risada, eu também; e me resignei a passar um ano atrasada em relação aos outros de uma forma palpável e desesperadora. De fato, passei; mas aprendi muito e me diverti a valer enquanto aprendia. (Minhas anotações de laboratório para a experiência com o gafanhoto refletem meu reconhecimento precoce de que tudo aquilo estava acima dos meus conhecimentos. Depois de detalhar o método experimental no meu relatório: "Foram retiradas de um gafanhoto a cabeça, as asas e as pernas. Depois de expostas as vesículas aéreas por meio do corte dos esternos metatorácicos, o nervo auditivo foi localizado e cortado em seu centro para excluir a possibilidade de respostas a partir do gânglio cerebral", e assim por diante, a descrição terminava com o seguinte parágrafo: "Em decorrência de interpretação falha das instruções, e de uma falta de conhecimento geral sobre o que estava acontecendo, não foi testada uma faixa mais ampla de estimulação; e, quando o equívoco foi esclarecido, o nervo auditivo já estava exausto. E eu também.")

Havia, porém, nítidas vantagens no estudo de zoologia de invertebrados. Para começar, ao contrário do que ocorre na psicologia, nós podíamos comer os pacientes. As lagostas – frescas e deliciosas – eram especialmente apreciadas. Nós as preparávamos em béqueres sobre bicos de Bunsen até que um dos nossos professores comentou que "não havia passado despercebido que algumas das nossas cobaias pareciam estar fugindo dos tanques à noite", pondo um ponto final nas nossas tentativas de suplementar as refeições da faculdade.

Naquele ano, fiz longas caminhadas à beira-mar e pela cidade, além de ficar horas sentada refletindo e escrevendo entre suas antigas ruínas. Nunca me cansei de imaginar como deveria ter sido um dia a catedral do século XII, que vitrais esplêndidos não deveriam ter preenchido suas janelas de bordas de pedra, agora vazias. Nem conseguia escapar à atração quase arquetípica dos serviços dominicais na capela da faculdade que, como a própria universidade, havia sido construída no início do século XV. As tradições medievais da erudição e da religião estavam ali entrelaçadas de um modo fantástico e profundamente desnorteante. As grossas becas escarlate dos alunos da graduação, que supostamente eram coloridas em obediência a um decreto de um antigo rei escocês no sentido de que os estudantes universitários, por serem potencialmente perigosos para o Estado, deveriam ser facilmente reconhecidos, faziam um belo contraste com os prédios cinzentos da cidade. E, depois da capela, os estudantes com suas becas vermelhas caminhavam até o final do píer, estendendo seu belo contraste até o mar e os céus escuros.

Era um lugar místico, e ainda é. Cheio de lembranças de noites frias e límpidas, de homens e mulheres em traje de gala, luvas compridas, echarpes de seda, *kilts* e faixas axadrezadas sobre os ombros das mulheres em elegantes vestidos longos de seda. Uma quantidade interminável de bailes a rigor. Jantares tarde da noite com salmão, presuntos, caça fresca, xerez, uísques e vinho do Porto. Alegres becas vermelhas nas costas de estudantes de bicicleta, em refeitórios e salas de aula, em jardins e no chão servindo de toalha para piqueniques na primavera. Eu dormia tarde em noites de cantoria e conversa com minhas colegas de quarto escocesas; longos canteiros de narcisos e campainhas nas colinas acima do mar; algas, rochas e conchas de lapas ao longo das areias amarelas marcadas pela maré alta; e belíssimos serviços de Natal no final do semestre: os alunos da graduação nas suas becas vermelhas, longas e alegres, os da pós-graduação com suas becas negras e curtas, sombrias; as lindas canções de Natal antigas; lustres suspensos de coroas com correntes douradas, e a galeria do coro de madeira profundamente entalhada; as aulas proferidas tanto no inglês das escolas de elite quanto nos sotaques mais líricos e muito mais delicados da Escócia. Sair da capela naquela noite de inverno foi penetrar numa cena antiga, a visão do escarlate contra a neve, o tilintar dos sinos e uma lua cheia, clara.

St. Andrews proporcionou um suave esquecimento dos dolorosos anos anteriores na minha vida. Aquele continua sendo para mim um tempo agradável, do qual não me esqueço, uma experiência fundamental. Para quem, durante os anos da graduação, estava procurando fugir a um desespero e um tédio inexplicáveis, St. Andrews foi um amuleto contra todo tipo de anseio e perda, um ano de lembranças felizes, guardadas com seriedade. Durante todo um longo inverno do Mar do Norte e estendendo-se para além dele, aqueles foram os dias tranqüilos da minha vida.

Eu estava com vinte e um anos quando deixei a Escócia e voltei para a UCLA. Foi uma mudança abrupta de humor e ambientação, e uma interrupção ainda mais abrupta do ritmo da minha vida. Procurei me adaptar de volta ao meu velho mundo e suas rotinas mas descobri que isso era difícil. Durante um ano, eu havia vivido sem precisar trabalhar de vinte a trinta horas por semana para me sustentar, mas agora eu precisava voltar a conciliar meu trabalho, minhas aulas, minha vida social e meus humores destrutivos. Meus planos de carreira também haviam mudado. Já estava claro para mim que meu temperamento inconstante e minha inquietação física iam tornar o estudo da medicina uma proposta inviável – especialmente os dois primeiros anos, que exigiam que se permanecesse sentado em sala de aula por horas a fio. Para mim, era difícil ficar parada muito tempo, e eu descobri que aprendia melhor sozinha. Eu adorava pesquisar e escrever, e a idéia de ficar amarrada ao tipo de horário que a faculdade de medicina exigia cada vez me causava mais repulsa. Tão importante quanto isso, eu havia lido o grande trabalho de psicologia, *The Varieties of Religious Experience*, durante o ano que passei em St. Andrews e havia ficado completamente fascinada pela idéia de estudar psicologia, especialmente as diferenças individuais no temperamento e as variações nas capacidades emocionais, como por exemplo a disposição de ânimo e as percepções fortes. Eu também havia começado a trabalhar com um segundo professor no seu projeto de pesquisa, um estudo fascinante sobre os efeitos psicológicos e fisiológicos de drogas modificadoras do humor como o LSD, a maconha, a cocaína, os narcóticos, os barbitúricos e as anfetaminas. Ele estava especialmente interessado nos motivos pelos quais alguns indivíduos são atraídos por um tipo de droga, por exemplo, as alucinógenas, enquanto outros têm a tendência a drogas que amortecem ou exacerbam o humor. Ele, como eu, sentia curiosidade pelas alterações de humor.

Esse professor – homem alto, tímido, brilhante – era ele próprio dado a mudanças de humor rápidas e profundas. Considerei trabalhar para ele, primeiro como auxiliar de pesquisas e depois como estudante de doutorado, uma experiência extraordinária. Ele era imensamente criativo, curioso e tolerante; difícil, porém justo nas suas exigências intelectuais; e excepcionalmente gentil na compreensão da minhas próprias flutuações de humor e de concentração. Nós tínhamos uma espécie de intuição um a respeito do outro que ficava, em geral, implícita, embora eventualmente um de nós tocasse no assunto dos humores sombrios. Meu escritório ficava ao lado do dele; e, durante meus períodos de depressão, ele costumava me perguntar como eu me sentia, fazia algum comentário sobre minha aparência de estar cansada, pensativa ou desanimada e perguntava o que podia fazer para ajudar.

Um dia, numa conversa, descobrimos que cada um vinha classificando seus próprios estados de espírito – ele numa escala de dez pontos de classificações subjetivas que iam de "terrível" a "ótimo" e eu numa escala que ia de –3 (paralisada e em total desespero) a +3 (ânimo e vitalidade estupendos) – numa tentativa de descobrir algum tipo de padrão nessas flutuações. De vez em quando, falávamos sobre a possibilidade de tomar medicamentos antidepressivos, mas éramos profundamente céticos quanto à sua eficácia além de cautelosos quanto aos prováveis efeitos colaterais. Fosse como fosse, como tantas pessoas que sofrem de depressão, considerávamos que as nossas eram mais complicadas e tinham mais fundamentação existencial do que na realidade tinham. Os antidepressivos podiam ser indicados para pacientes psiquiátricos, para aqueles de menos fibra, mas não para nós. Essa atitude tinha um preço alto. Éramos reféns de nossa formação e de nosso orgulho. Apesar das minhas oscilações de humor – pois minhas depressões continuavam a ser precedidas por "baratos" inebriantes e vertiginosos – eu sentia que tinha com ele um porto seguro no meu posto de auxiliar de pesquisas. Muitas vezes, tendo desligado a luz no meu escritório para dormir porque não conseguia encarar o mundo, eu acordava e descobria seu casaco nos meus ombros e um bilhete em cima da listagem do computador dizendo: "Você logo estará melhor."

Meu tremendo prazer no trabalho que estava fazendo com ele, bem como o aprendizado que daí extraía, a satisfação prolongada na minha outra atividade com o professor de inclinação mais matemática, com quem eu vinha trabalhando desde os tempos de caloura, a forte influência de William James e a instabilidade e agitação do meu temperamento, enfim, todos os aspectos se combinaram para me ajudar a tomar a decisão de estudar para um doutorado em psicologia em vez de entrar para a residência em medicina. A UCLA era na época, e ainda é, um dos melhores programas de pós-graduação em psicologia dentro dos Estados Unidos. Inscrevi-me para admissão e iniciei meus estudos para o doutorado em 1971.

Ao entrar na pós-graduação, resolvi que precisava fazer alguma coisa a respeito das minhas graves perturbações de humor. Logo tudo se resumiu a uma escolha entre consultar um psiquiatra ou comprar um cavalo. Como todo mundo que eu conhecia estava consultando um psiquiatra e como eu tinha uma crença absoluta na minha obrigação de ser capaz de lidar com meus próprios problemas, naturalmente comprei um cavalo. Não qualquer cavalo, mas um implacavelmente teimoso e neurótico ao extremo, uma espécie de Woody Allen eqüino, mas sem a vantagem da diversão. É claro que eu havia imaginado um roteiro na linha de *My Friend Flicka*: meu cavalo me veria a distância, mexeria com as orelhas numa expectativa ansiosa, relincharia de prazer e cheiraria meus culotes à procura de torrões de açúcar ou cenouras. O que me coube, em vez disso, foi uma criatura loucamente ansiosa, freqüentemente manca e sem grande inteligência que tinha pavor de cobras, gente, lagartos, cachorros e outros cavalos – em suma, tinha pavor de qualquer coisa que se pudesse razoavelmente esperar encontrar na vida – o que fazia com que ele empinasse e saísse desgovernado em direções completamente imprevisíveis. De uma perspectiva otimista, no entanto, sempre que eu cavalgava nele geralmente ficava apavorada demais para me sentir deprimida. E, quando estava maníaca, não tinha nenhum juízo mesmo. Portanto, cavalgar loucamente combinava bem com meu estado.

Infelizmente, comprar um cavalo não foi apenas uma decisão louca; foi também idiota. Eu poderia ter me poupado o trabalho de descontar meus cheques da bolsa de estudos do Serviço de Saúde Pública, para alimentá-lo diretamente com os cheques. Além das ferraduras e da cocheira – com exigências do veterinário no sentido de suplementar sua dieta normal com uma espécie de granola eqüina que custava mais do que uma boa aguardente de peras – eu também precisava comprar para ele ferraduras ortopédicas especiais para corrigir, ou corrigir eventualmente, seus contínuos problemas de manqueira. Essas ferraduras deixariam Gucci e Neiman-Marcus roxos de humilhação; e, depois de uma compreensão profunda, adquirida a duras penas, dos motivos pelos quais as pessoas atiram em comerciantes de cavalos, e em cavalos, tive de reconhecer que eu era uma estudante de pós-graduação, não o Dr. Dolittle; para ser mais exata, eu não era nem uma Mellon nem uma Rockfeller. Vendi meu cavalo, como quem se desfaz de um tremendo mico, e comecei a aparecer nas aulas na UCLA.

A pós-graduação foi o prazer que me faltou no curso de graduação. Sob certos aspectos, ela foi uma continuação dos tempos tranqüilos que passei em St. Andrews. Voltando o olhar para aqueles anos com a fria perspectiva clínica adquirida muito mais tarde, percebo que estava vivendo o que é conhecido de modo tão frio e prosaico como uma remissão – comum nos tempos iniciais da doença maníaco-depressiva e uma trégua ilusória no curso violentamente recorrente que a enfermidade não tratada acaba tomando – mas eu supunha apenas que estava de volta ao meu eu normal. Naquela época, não havia palavra, nome de doença ou conceito que pudesse dar significado às terríveis oscilações de humor que eu havia conhecido.

A pós-graduação não representou apenas uma liberação relativa para mim da minha doença, mas ela também foi uma liberação da existência altamente estruturada dos estudos de graduação. Embora eu faltasse a mais da metade das minhas aulas, no fundo não fazia diferença. Enquanto o desempenho fosse adequado, os meios extravagantes que cada um adotasse para chegar lá tinham importância consideravelmente menor. A essa altura, eu também estava casada com um artista francês que não só era um pintor talentoso, mas uma pessoa extremamente delicada e gentil. Ele e eu nos conhecemos no início da década de 70, num *brunch* oferecido por amigos mútuos. Era uma época de cabelos compridos, agitação social, dilatação dos estudos universitários e protestos contra a guerra do Vietnã; e eu senti um alívio de conhecer alguém que, para variar, era essencialmente apolítico, altamente inteligente mas não intelectual e profundamente dedicado às artes. Éramos muito diferentes, mas nos gostamos de imediato. Logo descobrimos que tínhamos o mesmo amor apaixonado pela pintura, pela música e pela natureza. Naquela época, eu estava magra como um palito, tinha uma veemência pungente e, quando não estava moribunda, parecia quase transbordar de desejo de ter uma vida emocionante, uma carreira acadêmica eletrizante e um monte de filhos. As fotografias daquela época mostram um homem alto, de cabelos escuros e olhos castanhos, delicado e extraordinariamente bonito que, embora constante na sua própria aparência, está acompanhado por uma mulher dos seus vinte e poucos anos loucamente variável. Numa foto, ela está rindo, usando um chapéu mole e os cabelos compridos ao vento. Em outra, medita, pensativa, parecendo infinitamente mais velha, vestida com uma sobriedade e falta de imaginação muito maiores. Meu cabelo, como minhas disposições de ânimo, subia e descia: ficava comprido por algum tempo, até que eu fosse invadida por uma impressão de que estava parecendo um sapo. Imaginando que uma mudança radical pudesse ajudar, eu mandava cortá-lo bem curto. O ânimo, o cabelo, as roupas, tudo mudava de uma semana para a outra, de um mês para o outro. Meu marido, por outro lado, era constante; e na maioria dos aspectos acabávamos complementando o temperamento um do outro.

Meses depois de nos conhecermos, estávamos morando juntos num pequeno apartamento perto do oceano. Era uma existência tranqüila, normal, preenchida com filmes, amigos e viagens a Big Sur, a San Francisco e a Yosemite. A segurança do nosso casamento, a proximidade de bons amigos e a amplidão intelectual proporcionada pela pós-graduação tiveram grande influência na criação de um mundo abrigado, razoavelmente sereno.

Eu havia começado pelo estudo da psicologia experimental, especialmente os aspectos mais fisiológicos e matemáticos do campo; mas, depois de alguns meses de estudos clínicos no Maudsley Hospital em Londres – que eu havia completado pouco antes de conhecer meu marido – resolvi passar para a psicologia clínica. Meu interesse tanto pessoal quanto profissional por essa área cada vez crescia mais. Meu curso, que estava concentrado em métodos estatísticos, biologia e psicologia experimental, agora mudava para psicofarmacologia, psicopatologia, métodos clínicos e psicoterapia. A psicopatologia – o estudo científico dos transtornos mentais – revelou-se de um interesse enorme, e eu descobri que atender pacientes era não só fascinante mas representava um desafio intelectual e pessoal. Apesar do fato de estarmos aprendendo a fazer diagnósticos clínicos, eu ainda não fazia nenhuma associação na minha cabeça entre os problemas que eu havia sofrido e o que estava descrito como doença maníaco-depressiva nos livros de estudo. Numa estranha inversão da síndrome do estudante de medicina, na qual os estudantes se convencem de estar sofrendo de não importa qual doença que estejam estudando, eu prosseguia alegre com minha formação clínica e nunca inseri minhas flutuações de ânimo em absolutamente nenhum contexto médico. Quando examino o passado, minha negação e ignorância parecem praticamente incompreensíveis. Eu percebia, porém, que me sentia mais à vontade ao tratar pacientes psicóticos do que muitos dos meus colegas. Naquela época, em programas de residência em psicologia clínica e psiquiatria, a psicose era muito mais associada à esquizofrenia do que à doença maníaco-depressiva, e eu aprendi muito pouco sobre os transtornos do humor em qualquer sentido formal. As teorias psicanalíticas ainda predominavam. Por isso, durante os dois primeiros anos de tratamento de pacientes, recebi supervisão quase só de psicanalistas. A ênfase do tratamento era na compreensão de experiências e conflitos do início da vida. Os sonhos e símbolos, bem como sua interpretação, formavam o núcleo do trabalho psicoterapêutico. Uma abordagem mais médica da psicopatologia – centrada no diagnóstico, nos sintomas, na doença e nos tratamentos médicos – só surgiu depois que iniciei meu internato no Instituto de Neuropsiquiatria da UCLA. Embora eu tenha tido minhas divergências com psicanalistas ao longo dos anos – e algumas especialmente virulentas com aqueles analistas que se opõem a tratar graves transtornos do humor com medicamentos, muito depois que as evidências comprovaram nitidamente que o lítio e os antidepressivos são muito mais eficazes do que a psicoterapia sozinha – considero de um valor inestimável a ênfase dada na minha formação inicial em psicoterapia a muitos aspectos do pensamento psicanalítico. Com o passar do tempo, fui abandonando grande parte da linguagem psicanalítica, mas a formação foi interessante, e nunca fui capaz de vislumbrar as distinções desnecessariamente arbitrárias entre a psiquiatria "biológica", que dá maior importância a causas médicas e a tratamentos médicos da doença mental, e as psicologias "dinâmicas", que se concentram mais em questões iniciais do desenvolvimento, na estrutura da personalidade, no conflito e motivação, bem como na atividade inconsciente.

Os extremos, no entanto, são sempre absurdos, e eu me vi perplexa com o grau de ridículo ao qual pode descer o pensamento que não passa pela crítica. A certa altura da nossa formação, esperava-se que aprendêssemos a aplicar vários testes psicológicos, incluindo-se testes de inteligência, como o Wechsler Adult Intelligence Scale, ou WAIS, e testes de personalidade, como o Rorschach. Meu primeiro alvo foi meu marido, que, por ser artista, não surpreendeu ao fazer pontos altíssimos nas partes de desempenho visual do WAIS, muitas vezes precisando me explicar como arrumar os blocos. Suas respostas ao Rorschach tinham um nível de originalidade que nunca mais vi. No teste de desenho de figura humana, percebi que ele parecia estar levando o teste muito a sério, desenhando meticulosamente e com vagar o que eu supus ser algum tipo de auto-retrato revelador. Quando ele afinal me mostrou o desenho, tratava-se de um orangotango maravilhosamente trabalhado, cujos longos braços se estendiam pelas margens do papel.

Considerei-o fantástico e levei os resultados do seu WAIS, Rorschach e do desenho da figura humana para minha supervisora de testes psicológicos. Ela era uma psicanalista dogmática e totalmente desprovida de humor, que passou mais de uma hora interpretando, de uma forma extremamente especulativa e presunçosa, a fúria reprimida e primitiva do meu marido, seus conflitos intrapsíquicos, suas ambivalências, sua natureza anti-social e a profunda perturbação da estrutura da sua personalidade. Esse meu ex-marido, pessoa que em quase vinte e cinco anos eu nunca soube que mentisse, estava sendo rotulado como sociopata. Um homem notável na sua franqueza e delicadeza foi interpretado como alguém com sérios distúrbios, conflitos e cheio de ódio. Só porque havia feito algo de diferente num teste. Era absurdo. Na realidade, para mim aquilo foi tão ridículo que eu, depois de dar risinhos descontrolados por muito tempo, provocando assim ainda mais ira – e o que foi pior, mais interpretações – saí do consultório meio rindo, meio furiosa, e me recusei a preparar um relatório do teste. Desnecessário dizer que também essa atitude foi obsessivamente dissecada e analisada.

A maior parte da minha verdadeira formação veio da ampla variedade e grande número de pacientes que avaliei e tratei durante meus estágios como interna clínica antes do doutorado. Enquanto isso, completei o curso dos meus dois campos de concentração menor, psicofarmacologia e comportamento animal. Em especial, adorei estudar o comportamento animal e suplementei os cursos oferecidos pelo departamento de psicologia com cursos de pós-graduação do departamento de zoologia. Esses cursos de zoologia eram voltados para a biologia dos mamíferos aquáticos e cobriam não só a biologia e história natural das lontras-do-mar, das focas, leões-marinhos, baleias e golfinhos, mas também detalhes como as adaptações cardiovasculares do mergulho de leões-marinhos e baleias assim como os sistemas de comunicação usados pelos golfinhos. Era o aprendizado pelo aprendizado, e eu adorei. Nada disso tinha nenhuma ligação com qualquer outra coisa que eu estivesse estudando ou fazendo, nem com nada que eu tenha feito desde aquela época, mas aquelas foram de longe as aulas mais interessantes que tive na pós-graduação.

Os exames de qualificação chegaram e passaram. Realizei um estudo de doutorado totalmente sem inspiração sobre a dependência da heroína e escrevi uma tese igualmente pouco inspirada com base neste estudo. Depois de duas semanas de preparação frenética enfiando na cabeça todos os detalhes insignificantes, entrei numa sala com cinco homens sérios sentados em volta de uma mesa, sentei-me e passei pela tortura que é conhecida em termos educados como Exame Oral Final ou, de modo mais acertado, num sentido militar, como defesa da tese. Dois dos homens à mesa eram os professores com quem eu vinha trabalhando há anos. Um deles não me exigiu muito; o outro não me deu trégua – imagino que num esforço para se mostrar imparcial. Um dos três psicofarmacologistas, o único sem estabilidade, sentiu-se na obrigação de me dificultar a vida, mas os outros dois, que eram catedráticos, sentiram claramente que ele havia exagerado ao demonstrar seu domínio das minúcias da estatística e de projetos de pesquisa e acabaram por forçá-lo a voltar a um nível menos rottweileriano de civilidade. Depois das três horas do complexo balé intelectual em que se constituiu a defesa da minha tese, saí da sala e fiquei parada no corredor enquanto eles votavam; suportei os indispensáveis momentos de agonia e voltei para encontrar os mesmos cinco homens que horas antes haviam parecido tão impiedosos e antipáticos. Só que dessa vez eles estavam sorrindo; estenderam as mãos para me cumprimentar e todos me deram parabéns, para meu grande alívio e prazer.

Os ritos de passagem no universo acadêmico são misteriosos e, a seu próprio modo, extremamente românticos. As tensões e aborrecimentos das teses e dos exames orais finais são rapidamente esquecidos nos maravilhosos momentos dos brindes que se seguem, na entrada para um clube muito antigo, festas de comemoração, becas de doutor, rituais acadêmicos e ouvir pela primeira vez "Dra." em vez de "Srta." Jamison. Fui contratada como professora-assistente pelo departamento de psiquiatria da UCLA, tive uma boa vaga de estacionamento pela primeira vez na vida, entrei imediatamente para o clube dos professores e comecei a subir na cadeia alimentar acadêmica. Foi um verão esplêndido – como se revelou, esplêndido demais – e três meses depois de me tornar professora, eu estava descontroladamente psicótica.

Segunda Parte

UMA LOUCURA NÃO TÃO DELICADA

Vôos da Mente

Há um tipo especial de dor, exultação, solidão e pavor envolvidos nessa classe de loucura. Quando se está para cima, é fantástico. As idéias e sentimentos são velozes e freqüentes como estrelas cadentes, e você os segue até encontrar algum melhor e mais brilhante. A timidez some; as palavras e os gestos certos de repente aparecem; o poder de cativar os outros, uma certeza palpável. Descobrem-se interesses em pessoas desinteressantes. A sensualidade é difusa; e o desejo de seduzir e ser seduzida, irresistível. Impressões de desenvoltura, energia, poder, bem-estar, onipotência financeira e euforia estão impregnadas na nossa medula. Mas, em algum ponto, tudo muda. As idéias velozes são velozes demais; e surgem em quantidades excessivas. Uma confusão arrasadora toma o lugar da clareza. A memória desaparece. O humor e enlevo no rosto dos amigos são substituídos pelo medo e preocupação. Tudo que antes corria bem agora só contraria – você fica irritadiça, zangada, assustada, incontrolável e totalmente emaranhada na caverna mais sinistra da mente. Você nunca soube que essas cavernas existiam. E isso nunca termina pois a loucura esculpe sua própria realidade.

A história continua sem parar, e finalmente só restam as lembranças que os outros têm do seu comportamento – dos seus comportamentos absurdos, frenéticos, desnorteados – pois a mania tem pelo menos o lado positivo de obliterar parcialmente as recordações. E então, depois dos medicamentos, do psiquiatra, do desespero, depressão e overdose? Todos aqueles sentimentos incríveis para desembaralhar. Quem está sendo educado demais para dizer o quê? Quem sabe o quê? O que foi que eu fiz? Por quê? E o que mais atormenta, quando vai acontecer de novo? Temos também os lembretes amargos – remédios para tomar, para se ressentir por ter tomado, para esquecer; tomar, ressentir, esquecer, mas sempre tomar. Cartões de crédito cancelados, cheques sem fundo a serem cobertos, explicações devidas no trabalho, desculpas a serem pedidas, lembranças intermitentes (o que foi que eu fiz?), amizades cortadas ou esvaziadas, um casamento terminado. E sempre, quando isso vai acontecer de novo? Quais dos meus sentimentos são reais? Qual dos meus eus sou eu? O selvagem, impulsivo, caótico, vigoroso e amalucado? Ou o tímido, retraído, desesperado, suicida, cansado e fadado ao insucesso? Provavelmente um pouco de cada lado. De preferência, que grande parte não pertença a nenhum dos dois lados. Virginia Woolf, nos seus vôos e mergulhos resumiu essa história: "Até que ponto nossos sentimentos extraem sua cor do mergulho no mundo subterrâneo? Quer dizer, qual é a realidade de qualquer sentimento?"

Eu não acordei um dia e me descobri louca. A vida não é tão simples assim. Em vez disso, fui percebendo aos poucos que minha vida e minha mente estavam atingindo uma velocidade cada vez maior até que afinal, durante meu primeiro verão no corpo docente, as duas me escaparam ao controle, girando loucamente. No entanto, a aceleração do pensamento rápido até o caos foi um processo lento e de uma beleza sedutora. No início, tudo parecia perfeitamente normal. Ingressei no corpo docente de psiquiatria em julho de 1974, e uma das enfermarias de adultos internados ficou sob minha responsabilidade clínica e de ensino. Esperava-se que eu supervisionasse residentes de psiquiatria e internos de psicologia clínica no que dissesse respeito a técnicas de diagnóstico, testes psicológicos, psicoterapia e, graças à minha formação em psicofarmacologia, algumas questões relacionadas a experiências com drogas e medicamentos. Eu também era a ligação entre os departamentos de psiquiatria e de anestesiologia, onde fazia consultas, seminários e estabeleci alguns protocolos de pesquisa destinados a investigar aspectos psicológicos e médicos da dor. Minha própria pesquisa consistia basicamente em redigir relatórios de alguns dos estudos com drogas que eu havia realizado na pós-graduação. Eu não sentia nenhum interesse especial pelo trabalho clínico ou pela pesquisa relacionada aos transtornos do humor e, como havia passado mais de um ano quase totalmente livre de sérias oscilações de humor, supus que esses problemas fossem coisa do passado. Sentir-se normal por qualquer período mais longo desperta esperanças que se revelam quase invariavelmente infundadas.

Adaptei-me ao novo emprego com grande otimismo e energia. Eu sentia prazer em ensinar e, embora de início parecesse estranho estar supervisionando o trabalho clínico de outros, gostei da função. Considerei a transição de interna para a docência muito menos difícil do que havia imaginado. Nem é preciso dizer que essa transição foi muito facilitada por uma revigorante diferença na remuneração. A relativa liberdade que eu tinha para me dedicar aos meus próprios interesses acadêmicos era inebriante. Eu trabalhava muito e, relembrando, dormia muito pouco. A redução do sono é tanto sintoma quanto causa da mania, mas isso eu não sabia naquela época. E é provável que não tivesse feito diferença para mim se eu tivesse sabido. Muitas vezes o verão me trouxera noites longas e grande animação, mas dessa vez ele me empurrou para alturas maiores, mais perigosas e psicóticas do que eu jamais conhecera. O verão, a falta de sono, uma avalanche de trabalho e genes delicadamente vulneráveis acabaram por me levar para o lado de lá, para além dos meus níveis conhecidos de exuberância até a loucura plena.

A festa nos jardins do reitor era um evento anual para dar as boas-vindas aos novos membros do corpo docente da UCLA. Por acaso, o homem que viria a ser meu psiquiatra também estava na festa, já que ele próprio acabava de se tornar professor-adjunto da faculdade de medicina. A ocasião provou ser um exemplo interessante do abismo que surge entre a percepção que a pessoa tem de si mesma e as observações mais frias e comedidas de um clínico experiente que de repente se encontrava numa situação social olhando para uma ex-interna meio frenética e de olhos desvairados que ele, na qualidade de chefe da residência, havia supervisionado no ano anterior. Minha lembrança da situação era que eu talvez estivesse um pouco alta, mas basicamente eu me lembro de ter conversado com um monte de gente, com a sensação de ter um encanto irresistível, e de passar veloz de um tira-gosto para outro, de um drinque para outro. Conversei muito tempo com o reitor. É claro que ele não fazia a menor idéia de quem eu era, mas estava sendo extremamente gentil ao conversar tanto tempo comigo ou simplesmente estava se mostrando fiel à sua reputação de ter uma queda por mulheres jovens. Não importa o que ele estivesse de fato sentindo, eu tinha certeza de que ele estava me considerando encantadora.

Também tive uma conversa prolongada e bastante estranha com o diretor do meu departamento – estranha, mas que eu considerei muito agradável. Meu diretor era ele próprio uma pessoa expansiva, e era dotado de uma cabeça muito imaginativa que nem sempre se mantinha dentro das fronteiras da medicina acadêmica. Nos círculos da psicofarmacologia, ele era de certo modo famoso por ter matado acidentalmente com LSD um elefante de aluguel de um circo – uma história complicada, bastante improvável, envolvendo grandes mamíferos terrestres em frenesi, glândulas do lobo temporal, efeitos das drogas alucinógenas sobre o comportamento violento e erros de cálculo de volumes e áreas de superfície – e nós começamos uma conversa longa e dispersiva sobre a pesquisa com elefantes e hiraces. Os hiraces são pequenos animais africanos que não apresentam absolutamente nenhuma semelhança com os elefantes mas que, com base na disposição de seus dentes, são considerados seus parentes vivos mais próximos. Não consigo nem começar a me lembrar dos argumentos minuciosos e interesses comuns subjacentes a essa conversa estranha e extremamente animada – à exceção do fato de eu imediatamente e com enorme disposição me prontificar a rastrear todo e qualquer artigo (e havia centenas deles) um dia escrito sobre os hiraces. Também me ofereci como voluntária para trabalhar nos estudos do comportamento animal no zoológico de Los Angeles, além de dividir com outros professores um curso de etologia e ainda mais um de farmacologia e etologia.

Minhas lembranças da recepção ao ar livre diziam que eu havia sido fabulosa, esfuziante, sedutora e segura. Meu psiquiatra, porém, ao conversar sobre isso comigo muito tempo depois, tinha lembranças muito diferentes. Ele disse que eu estava vestida de uma forma extraordinariamente provocante, totalmente diferente do estilo conservador no qual ele me havia visto no ano anterior. Eu estava usando muito mais maquiagem do que de costume e lhe pareci frenética e excessivamente falante. Ele diz que se lembra de ter pensado com seus botões, Kay parece maníaca. Eu, por outro lado, me havia imaginado esplêndida.

    Minha cabeça estava começando a ter de se esforçar um pouco para conseguir acompanhar seu próprio ritmo, já que as idéias surgiam com tanta velocidade que uma atravessava o caminho da outra em todos os ângulos concebíveis. Havia um engarrafamento de neurônios nas rodovias do meu cérebro; e quanto mais eu procurava desacelerar meu pensamento, mais eu percebia que não conseguia. Meus entusiasmos estavam também em excesso de velocidade, muito embora com freqüência houvesse algum fio de lógica oculto no que eu estava fazendo. Um dia, por exemplo, comecei a fazer fotocópias feito louca: fiz de trinta a quarenta cópias de um poema de Edna St. Vincent Millay, de um artigo sobre religião e psicose do *American Journal of Psychiatry* e de outro artigo, "Por que não participo de discussões de caso", escrito por um psicólogo proeminente que elucidava todas as razões pelas quais as discussões de caso clínico, quando mal conduzidas, são uma perda de tempo tão horrível. Esses três textos pareceram de repente ter profundo significado e aplicação para o pessoal clínico da enfermaria. Por isso, distribuí cópias a todos que pude.

    O que é agora interessante para mim não é o fato de eu ter tido uma atitude tão tipicamente maníaca; mas sim, o fato de haver alguma premonição e razão naqueles primeiros dias da loucura incipiente. As visitas ao leito *eram* mesmo uma total perda de tempo, embora o chefe da enfermaria não demonstrasse ter apreciado muito o fato de eu chamar a atenção de todos para isso (e apreciou muito menos minha distribuição do artigo a toda a equipe). O poema de Millay, "Renascence", era um que eu havia lido quando menina; e, à medida que meu ânimo ia ficando cada vez mais enlevado e minha cabeça começava a correr cada vez mais rápido, eu de algum modo me lembrei do texto com perfeita clareza e fui procurá-lo imediatamente. Embora estivesse apenas começando minha viagem de entrada na loucura, o poema descrevia o ciclo inteiro pelo qual eu estava a ponto de passar. Ele começava com percepções normais do mundo ("Tudo o que eu via de onde estava/ Eram três longas montanhas e um bosque") e depois continuava passando por estados de êxtase e visões até chegar a um desespero sem tréguas e, finalmente, voltar a emergir no mundo normal, mas com a percepção aguçada. Millay estava com dezenove anos de idade quando escreveu o poema e, embora eu não soubesse disso na época, ela mais tarde sobreviveu a vários colapsos e hospitalizações. De algum modo, no estranho estado em que me encontrava, eu sabia que o poema tinha significado para mim. Eu o compreendia perfeitamente. Dei-o a residentes e internos como uma descrição metafórica do processo psicótico e das importantes possibilidades numa renovação subseqüente. Os residentes, sem perceber o alvoroço interno que sugeria as leituras, pareceram reagir bem aos artigos e, quase com unanimidade, expressaram prazer por terem um descanso das leituras médicas normais.

Durante esse mesmo período de comportamento cada vez mais febril no trabalho, meu casamento estava desmoronando. Separei-me do meu marido, ostensivamente porque eu queria filhos e ele não – o que era real e importante – mas a questão era muito mais complexa do que isso. Eu estava cada vez mais irrequieta, irritadiça, e estava louca por emoção. De repente, descobri que eu me rebelava exatamente contra as coisas que mais adorava no meu marido: sua delicadeza, estabilidade, carinho e amor. Impulsivamente procurei começar uma vida nova. Encontrei um apartamento excessivamente moderno em Santa Monica, apesar de detestar a arquitetura moderna. Comprei mobília moderna finlandesa, apesar de adorar objetos antiquados e aconchegantes. Tudo o que eu comprava era frio, moderno, anguloso e, suponho, estranhamente calmante além de relativamente pouco invasivo para minha mente cada vez mais caótica e meus sentidos conturbados. Pelo menos, havia uma vista espetacular – e espetacularmente cara – do oceano. Gastar o dinheiro que não se tem – ou, nos termos tão singulares dos critérios formais de diagnóstico, "envolver-se em surtos desenfreados de compras" – é um aspecto clássico da mania.

Quando estou nas alturas, não conseguiria me preocupar com dinheiro mesmo se tentasse. Por isso não me preocupo. O dinheiro aparece; eu tenho direito; Deus dará. Os cartões de crédito são um desastre; os cheques pessoais ainda piores. Infelizmente, para os maníacos em todo caso, a mania é uma extensão natural da economia. E com os cartões de crédito e as contas bancárias, são poucas as coisas que estão fora do alcance. Pois eu comprei doze kits para picada de cobra, com uma sensação de urgência e importância. Comprei pedras preciosas, mobília elegante e desnecessária, três relógios com uma hora de intervalo entre as aquisições (mais na faixa do Rolex do que na do Timex – na mania, o gosto pelas coisas finas vem à tona, é a própria tona, como bolhas de champanhe) e roupas de sereia totalmente inadequadas. Durante um desses episódios em Londres, gastei algumas centenas de libras em livros com títulos ou capas que de algum modo me cativavam: livros sobre a história natural da toupeira, vinte exemplares variados da Penguin porque achei que ficaria bonito se os pingüins pudessem formar uma colônia. Uma vez roubei uma blusa de uma loja porque não ia conseguir esperar nem mais um minuto pela mulher-de-pés-de-melaço à minha frente na fila. Ou talvez eu tenha apenas pensado em roubar a blusa, não me lembro, minha confusão era total. Imagino que devo ter gasto mais de trinta mil dólares durante meus dois episódios mais importantes de mania, e só Deus sabe quanto mais gastei durante minhas freqüentes manias mais brandas.

 De volta ao lítio, porém, e girando no planeta no mesmo ritmo que todas as outras pessoas, descobre-se que seu crédito está dizimado; a mortificação é completa. A mania não é um luxo que se possa sustentar com facilidade. É devastador ter a doença e irritante ter de pagar pelos remédios, exames de sangue e psicoterapia. Essas despesas, pelo menos, são parcialmente dedutíveis. Mas o dinheiro gasto enquanto se está maníaco não se encaixa nos conceitos da receita federal de despesas médicas ou prejuízos na atividade comercial. Portanto, depois da mania, quando se está mais deprimido, é quando se têm ótimos motivos para aumentar ainda mais a depressão.

Ter um Ph.D. em economia da Universidade de Harvard absolutamente não preparou meu irmão para a confusão financeira que estava espalhada no chão diante dos seus olhos. Havia pilhas de recibos de cartões de crédito, montes de avisos de saque a descoberto do meu banco e cobranças duplas e triplas de todas as lojas pelas quais eu havia passado tão recentemente comprando para pagar com o cartão da loja. Numa pilha separada, mais assustadora, havia cartas com ameaças de agências de cobrança. O caótico impacto visual ao se entrar na sala refletia a balbúrdia da coleção enlouquecida de lobos elétricos que apenas algumas semanas antes constituía meu cérebro maníaco. Agora, medicada e entristecida, eu examinava compulsivamente os restos da minha irresponsabilidade fiscal. Era como fazer uma escavação arqueológica de épocas anteriores da mente. Havia uma conta de um taxidermista de The Plains, Virgínia, por exemplo, de uma raposa empalhada que eu por algum motivo havia imaginado precisar desesperadamente. Eu havia amado os animais a vida inteira; a certa altura tive vontade de ser veterinária. Como era possível que eu pudesse ter comprado um animal morto? Eu adorava as raposas e as admirava desde minhas lembranças mais remotas; eu as considerava rápidas, inteligentes e lindas. Como eu poderia ter contribuído de modo tão direto para a morte de uma delas? Fiquei estarrecida com a natureza medonha da minha aquisição, revoltada comigo mesma e incapaz de imaginar o que faria com a raposa quando de fato chegasse.

Num esforço para me distrair, comecei a manusear desajeitadamente os comprovantes de cartões de crédito. Perto do alto da pilha havia uma conta da farmácia onde eu havia comprado meus *kits* para picada de cobra. O farmacêutico, tendo acabado de aviar minha receita para o lítio, deu um sorriso de quem entende perfeitamente enquanto registrava a compra dos *kits* para picadas de cobras e as outras compras estranhas, absurdas e inúteis. Eu sabia o que ele estava pensando e, na benevolência da minha disposição extrovertida, pude apreciar o humor. Ao contrário de mim, porém, ele parecia ter total desconhecimento do problema criado por cascavéis no Vale de San Fernando. Deus havia escolhido a mim, e aparentemente *só* a mim, para alertar o mundo para a proliferação descontrolada de cobras assassinas na Terra Prometida. Ou era isso o que eu pensava nas minhas divagações fragmentadas e delirantes. Dentro das minhas pequenas possibilidades, ao comprar todo o estoque de *kits* para picadas de cobra da farmácia, eu estava fazendo o que podia para proteger minha pessoa e as pessoas que eu amava. No meio das minhas correrias pelas gôndolas da farmácia, também me havia ocorrido um plano para alertar o *Los Angeles Times* para o perigo. No entanto, eu estava maníaca demais para organizar minhas idéias num plano coerente.

Meu irmão, parecendo ter lido meus pensamentos, entrou na sala com uma garrafa de champanhe e taças numa bandeja. Ele disse estar imaginando que precisaríamos do champanhe porque toda aquela história poderia ser "ligeiramente desagradável". Meu irmão não é dado a exageros. Nem a grandes gestos de desespero e ranger de dentes. Em vez disso, ele é um homem justo e prático, generoso e que, em decorrência da sua própria segurança, costuma inspirar segurança nos outros. Sob todos esses aspectos, ele era muito parecido com nossa mãe. Durante o período da separação dos meus pais e seu subseqüente divórcio, ele abriu suas asas sobre mim, protegendo-me no que pôde das mágoas da vida e dos meus próprios humores turbulentos. Sempre pude contar com a disponibilidade da sua proteção desde aquela época. A partir de quando entrei para a faculdade, passando pela pósgraduação e pelos tempos de professora universitária – na verdade, ainda até agora – sempre que precisei de um alívio da dor ou da insegurança, ou simplesmente me afastar de tudo, encontrei uma passagem aérea no correio, com um bilhete sugerindo que eu fosse me encontrar com ele em algum lugar como em Boston ou em Nova York, no Colorado ou em San Francisco. Com freqüência, ele está num desses lugares para dar uma palestra, fazer uma consultoria ou para tirar uns dias de folga do trabalho. Eu o encontro em algum saguão de hotel ou num restaurante de luxo, feliz em vê-lo – alto, bonito, bem-vestido – atravessar o recinto a passos rápidos. Não importa qual seja meu problema ou meu estado de ânimo, ele sempre consegue fazer com que eu tenha a impressão de que ele está feliz por me ver. E a cada vez que fui morar no exterior – primeiro na Escócia ainda na faculdade, depois na Inglaterra como estudante de pós-graduação, e mais duas vezes na Inglaterra em licenças de um ano da Universidade da Califórnia – eu sempre soube que era questão de semanas para ele chegar e verificar onde eu estava morando, em que estava me ocupando; para me levar para jantar fora e sugerir que fôssemos juntos dar uma olhada na Hatchards, Dillons ou alguma outra livraria. Depois do meu primeiro ataque grave de mania, ele me abrigou ainda mais debaixo da sua asa. Ele deixou claro de uma forma inequívoca que, se eu precisasse dele, ele viria no primeiro avião.

Agora, ele não fazia nenhuma crítica às minhas compras completamente irracionais; ou, se fazia, pelo menos não as fez diante de mim. Graças a um empréstimo pessoal que ele fez com a cooperativa de crédito do Banco Mundial, onde trabalhava como economista, pudemos emitir cheques para cobrir todas as contas pendentes. Aos poucos, ao longo de um período de muitos anos, pude restituir o que lhe devia. Para ser mais exata, pude pagar de volta o dinheiro que lhe devia. Jamais conseguirei retribuir o amor, a gentileza e a compreensão.

Prossegui com a minha vida num ritmo assustador. Cumpria expedientes ridiculamente longos de trabalho e praticamente não dormia. Quando voltava para casa à noite, era para um lugar de caos cada vez maior. Livros, muitos deles recém-comprados, estavam espalhados por todos os cantos. Havia roupas empilhadas em monturos em todos os aposentos assim como embrulhos não desfeitos e sacolas de compras não esvaziadas até onde a vista alcançasse. Meu apartamento dava a impressão de ter sido habitado e depois abandonado por uma colônia de toupeiras. Havia também centenas de tiras de papel. Elas enchiam o tampo da minha mesa de trabalho e os balcões da cozinha, e formavam seus próprios montinhos no chão. Uma tira continha um poema incoerente e desconexo. Encontrei-o semanas mais tarde dentro da geladeira, aparentemente inspirado pela minha coleção de plantas aromáticas, que, nem é necessário dizer, havia crescido a passos largos durante minha mania. Por motivos que decerto faziam sentido na ocasião, eu lhe dera o título de "Deus é herbívoro". Eram muitos os poemas e fragmentos desse tipo, e eles estavam por toda parte. Semanas depois de eu acabar de limpar o apartamento, eu ainda encontrava pedacinhos de papel – preenchidos até as margens – em lugares inimaginavelmente improváveis.

Minha percepção e vivência dos sons em geral e da música em particular eram intensas. Notas isoladas de uma trompa, de um oboé ou de um violoncelo adquiriam uma pungência inexprimível. Eu ouvia cada nota em si, todas as notas juntas e depois cada uma e todas com uma clareza e beleza penetrantes. Eu me sentia como se estivesse no meio do poço da orquestra. Em pouco tempo, a intensidade e a tristeza da música clássica tornaram-se insuportáveis para mim. Fiquei impaciente com o andamento além de dominada pela emoção. Voltei-me abruptamente para o *rock*, apanhei meus álbuns dos Rolling Stones e os tocava no volume mais alto possível. Eu ia de gravação em gravação, de álbum para álbum, combinando o estado de espírito à música, a música ao estado de espírito. Logo discos, fitas e capas de discos estavam espalhados por todo o meu apartamento à medida que eu prosseguia minha busca do som perfeito. O caos na minha cabeça começou a refletir o caos na minha casa; eu já não conseguia processar o que estava ouvindo; fiquei confusa, assustada e desorientada. Não conseguia ouvir nenhuma música específica por mais de alguns minutos. Meu comportamento era frenético, e minha mente ainda mais.

Aos poucos, a escuridão começou a se insinuar na minha mente, e em pouco tempo eu estava irremediavelmente descontrolada. Não conseguia acompanhar a linha dos meus próprios pensamentos. As frases voavam de um lado para o outro na minha cabeça e se fragmentavam primeiro em expressões e depois em palavras. Finalmente, só restavam os sons. Num final de tarde, eu estava em pé no centro da minha sala de estar e olhava um pôr-do-sol vermelho-sangue que se espalhava pelo horizonte do Pacífico. De repente, tive uma estranha sensação de luz no fundo dos meus olhos e quase imediatamente vi uma enorme centrífuga negra dentro da minha cabeça. Vi uma figura alta num vestido longo de noite aproximar-se da centrífuga com uma proveta do tamanho de um vaso, cheia de sangue, nas mãos. Quando a figura se voltou, vi com horror que era eu e que meu vestido, minha pelerine e minhas longas luvas brancas estavam ensangüentados. Fiquei olhando enquanto a figura punha a proveta num dos furos na prateleira da centrífuga, fechava a tampa e apertava um botão na parte dianteira da máquina. A centrífuga começou a funcionar.

Então, de um modo horrorizante, a imagem que antes estava dentro da minha cabeça agora estava totalmente fora dela. Fiquei paralisada de pavor. A rotação da centrífuga e o retinir do tubo de vidro contra o metal foram ficando cada vez mais altos até que a máquina se espatifou em milhares de pedaços. Havia sangue por toda parte. Ele estava respingado nas vidraças, nas paredes e quadros, e deixara o carpete encharcados. Olhei para o oceano lá fora e vi que o sangue na janela se havia fundido ao pôr-do-sol. Eu não saberia dizer onde um terminava e começava o outro. Berrei a plenos pulmões. Não conseguia me livrar da visão do sangue, nem dos ecos do ruído da máquina enquanto ela girava cada vez mais rápido. Não era só que meus pensamentos se haviam descontrolado, eles estavam transformados numa horrenda fantasmagoria, uma visão adequada embora apavorante de toda uma vida e mente fora de controle. Berrei sem parar. Aos poucos, a alucinação foi desaparecendo. Telefonei para um colega pedindo ajuda, servi um boa dose de *scotch* e esperei pela sua chegada.

Felizmente, antes que minha mania se tornasse muito pública, esse colega – homem com quem eu vinha saindo durante minha separação do meu marido, e alguém que me conhecia e compreendia muito bem – estava disposto a se encarregar das minhas iras e delírios maníacos. Ele me confrontou com a necessidade de tomar lítio, o que não era uma tarefa agradável para ele – eu estava loucamente agitada, paranóica e violenta em termos físicos – mas foi uma missão que realizou com habilidade, elegância e compreensão. Foi muito delicado, mas insistente, ao me dizer que acreditava que eu tinha a doença maníaco-depressiva, e me convenceu a marcar uma consulta com um psiquiatra. Juntos reunimos tudo que pudemos encontrar do que havia sido escrito sobre a doença. Lemos o que tivemos condições de absorver e depois passamos para o que se sabia a respeito do tratamento. O lítio havia sido aprovado para uso nos casos de mania somente quatro anos antes, em 1970, pelo órgão de controle de medicamentos e alimentos, e ainda não estava em ampla utilização na Califórnia. A partir da leitura da literatura médica estava claro, porém, que o lítio era a única droga que tinha alguma chance séria de funcionar no meu caso. Ele prescreveu lítio e outros medicamentos antipsicóticos para mim por um período muito curto, de emergência, só o suficiente para me dar apoio até minha primeira consulta com o psiquiatra. Ele separou o número certo de comprimidos que eu deveria tomar todas as manhãs e noites, além de passar horas conversando com minha família sobre minha enfermidade e qual seria a melhor forma para lidar com ela. Ele tirou sangue para vários testes de lítio e me encorajou quanto ao prognóstico para minha recuperação. Ele também insistiu que eu pedisse uma curta licença do trabalho, o que acabou me protegendo da perda do meu emprego e da minha licença para clinicar, e tomou providências para que alguém cuidasse de mim em casa durante aqueles períodos em que ele próprio não pudesse fazê-lo.

Eu me senti infinitamente pior, e deprimida num nível mais perigoso, durante esse primeiro episódio de mania do que quando estava no meio das minhas piores depressões. Na realidade, na minha vida inteira – caracterizada por altos e baixos caóticos – a época em que me senti pior foi a primeira vez em que tive um surto psicótico de mania. Eu havia tido episódios brandos de mania anteriormente, mas aquelas experiências nunca haviam sido assustadoras – inebriantes na melhor das hipóteses, desnorteantes, na pior. Eu havia aprendido a me adaptar muito bem a elas. Havia desenvolvido mecanismos de autocontrole, de modo a moderar acessos de riso excepcionalmente inconvenientes e a impor rígidos limites à minha irritabilidade. Eu evitava situações que poderiam, de outro modo, desengatar ou emaranhar minha fiação hipersensível; e aprendi a fingir que estava prestando atenção ou acompanhando um raciocínio lógico quando minha cabeça estava longe perseguindo borboletas em mil direções. Meu trabalho e minha vida profissional seguiam em frente. Mas de modo algum esse aprendizado, minha formação, meu intelecto ou meu caráter chegaram a me preparar para a insanidade.

Embora as coisas viessem caminhando nessa direção há semanas, e eu sem dúvida soubesse que algo estava muito errado comigo, houve um ponto preciso quando soube que estava louca. Meus pensamentos eram tão rápidos que eu não conseguia me lembrar do início de uma frase a meio caminho. Fragmentos de idéias, imagens, frases passavam correndo pela minha cabeça como os tigres numa história infantil. Afinal, como aqueles tigres, elas se derretiam, transformando-se em poças desprovidas de significado. Nada que um dia me havia sido familiar era familiar. Eu queria desesperadamente desacelerar, mas não conseguia. Nada me ajudava, nem correr horas a fio no estacionamento, nem nadar quilômetros. Meu nível de energia não era atingido por nada do que eu fazia. O sexo passou a ser intenso demais para o prazer, e durante a relação eu sentia minha mente envolta por linhas negras de luz que me eram apavorantes. Meus delírios se concentravam nas mortes lentas e dolorosas de todas as plantas verdes do planeta – trepadeira por trepadeira, haste por haste, folha por folha, elas iam morrendo e eu não podia fazer nada para salvá-las. Seus gritos eram dissonantes. Cada vez mais, todas as minhas imagens eram sinistras e de decomposição.

A certa altura, determinei que se minha mente – com a qual eu ganhava meu sustento e cuja estabilidade eu havia considerado indiscutível por tantos anos – não parasse de correr e voltasse a funcionar normalmente, eu me mataria jogando-me do alto de um prédio próximo, de doze andares. Dei-lhe o prazo de vinte e quatro horas. Naturalmente, no entanto, eu não tinha nenhuma noção do tempo, e um milhão de outros pensamentos – magníficos e mórbidos – se intrometeram, passando velozes. Dias intermináveis e apavorantes de medicamentos interminavelmente apavorantes – Torazine*, lítio, Valium, barbitúricos – afinal surtiram efeito. Cheguei a sentir minha mente sendo controlada, desacelerada e posta para descansar. Mas demorou muito

---

* Clorpromazina; no Brasil, Amplictil. (N. da R. T.)

tempo para que eu voltasse a reconhecer minha mente, e muito mais ainda para eu confiar nela.

Conheci o homem que viria a ser meu psiquiatra quando ele era o chefe da residência no Instituto de Neuropsiquiatria da UCLA. Alto, de bela aparência e opiniões firmes, ele dispunha de uma mente incisiva, uma inteligência rápida e um riso descontraído que abrandava sua presença, sob outros aspectos intimidante. Ele era inflexível, disciplinado, sabia o que estava fazendo e dava muita importância a como agia. Realmente adorava ser médico, e era um professor estupendo. Durante meu ano como interna de psicologia clínica no pré-doutorado, ele havia recebido a incumbência de supervisionar meu trabalho clínico com os pacientes adultos internados. Ele se revelou uma ilha de pensamento racional, diagnóstico rigoroso e compaixão numa situação de enfermaria em que prevaleciam os egos frágeis e as especulações vãs sobre conflitos sexuais e intrapsíquicos. Embora ele fosse irredutível quanto à importância de tratamentos médicos precoces e agressivos para pacientes psicóticos, ele também tinha uma crença profunda e genuína na importância da psicoterapia para a obtenção da cura e da mudança duradoura. Sua gentileza para com os pacientes, combinada com um conhecimento extremamente aguçado da medicina, da psiquiatria e da natureza humana, causou uma impressão crucial em mim. Quando me tornei violentamente maníaca pouco depois de entrar para o corpo docente da UCLA, ele foi a única pessoa a quem confiei minha mente e minha vida. Eu sabia intuitivamente que não havia a menor sombra de possibilidade de eu conseguir superá-lo pela fala, pelo pensamento ou por manipulações. No meio da perfeita confusão, essa foi uma decisão de notável clareza e sanidade. Eu não estava só muito doente quando apareci para minha primeira consulta. Eu estava apavorada e profundamente envergonhada. Nunca havia consultado um psiquiatra ou um psicólogo antes. Não tinha escolha. Eu havia perdido completamente, mas completamente mesmo, a razão. Se eu não procurasse ajuda profissional, era muito provável que perdesse meu emprego, meu casamento já precário e minha vida também. Dirigi do meu escritório na UCLA para o consultório dele no Vale de San Fernando. Era o início de um final de tarde do sul da Califórnia, geralmente uma hora linda do dia, mas eu estava – pela primeira vez na vida – tremendo de medo. Eu tremia pelo que ele poderia me dizer, e tremia pelo que ele talvez não fosse capaz de me dizer. Dessa vez pelo menos, eu nem conseguia começar a arrumar um jeito de sair da situação em que estava, fosse pela razão, fosse pelo riso, e não fazia nenhuma idéia se existia algo que faria com que eu me sentisse melhor.

Apertei o botão do elevador e segui por um longo corredor até uma sala de espera. Outros dois pacientes estavam esperando pelos seus médicos, o que só aumentou minha sensação de embaraço e indignidade por me encontrar numa posição em que os papéis estavam invertidos – sem dúvida benéfica para a formação do caráter, mas eu começava a me sentir cansada de todas as oportunidades para formar meu caráter em detrimento da paz, da previsibilidade e de uma vida normal. Talvez, se eu não estivesse tão vulnerável na época, tudo isso não teria tido tanta importância. No entanto, eu estava confusa, assustada e terrivelmente fragmentada em todas as minhas idéias de mim mesma. Minha autoconfiança, que havia permeado todos os aspectos da minha vida desde minhas lembranças mais antigas, estava ausente em férias longas e perturbadoras.

Na parede dos fundos da sala de espera, vi um painel de botões acesos e apagados. Estava claro que se supunha que eu devesse apertar um deles. Dessa forma, meu futuro psiquiatra saberia que eu já estava ali. Senti-me como um enorme rato branco aplicando a pata a uma alavanca para ganhar uma bolinha de alimento. Era um sistema estranhamente degradante, embora prático. Tive a desalentadora sensação de que ficar do outro lado da mesa não ia combinar muito comigo.

Meu psiquiatra abriu a porta, olhou longamente para mim, fez com que me sentasse e disse alguma coisa tranqüilizante. Já me esqueci totalmente do que foi – e tenho certeza de que foi tanto seu modo de falar quanto as palavras em si – mas aos poucos uma luz mínima, ínfima, surgiu na minha mente escura e assustada. Praticamente não tenho nenhuma lembrança do que disse naquela primeira sessão, mas sei que foi desconexo, ansioso e confuso. Ele ficou ali sentado, ouvindo durante o que pareceu uma eternidade, com sua longa estrutura de um metro e noventa acomodada da cadeira até o chão, a cruzar e descruzar as pernas, com as mãos se tocando pelas pontas dos dedos – e então ele começou a fazer perguntas.

Quantas horas de sono eu vinha tendo? Eu tinha algum problema para me concentrar? Eu andava mais falante do que de costume? Eu falava mais rápido do que normalmente? Alguém teria me dito para desacelerar ou que não estava conseguindo entender o que eu estava dizendo? Eu sentia uma pressão para falar constantemente? Eu andava mais cheia de energia do que de costume? As outras pessoas estavam dizendo que tinham dificuldade para me acompanhar? Eu andava mais envolvida em atividades do que de costume, ou iniciando mais projetos? Meus pensamentos estariam tão velozes que eu enfrentava dificuldade para acompanhá-los? Eu andava mais agitada ou irrequieta em termos físicos do que normalmente? Mais ativa em termos sexuais? Gastando mais dinheiro? Agindo de modo impulsivo? Eu andava mais irritadiça ou raivosa do que normalmente? Eu tinha a impressão de ter talentos ou poderes especiais? Eu havia tido alguma visão ou ouvido sons ou vozes que outras pessoas provavelmente não haviam visto ou ouvido? Eu havia tido alguma sensação estranha no meu corpo? Eu alguma vez na vida tinha tido esses sintomas antes? Alguma outra pessoa da minha família tinha problemas semelhantes?

Percebi que estava sendo alvo de um exame psiquiátrico muito meticuloso; as perguntas eram conhecidas, eu já as fizera a outras pessoas centenas de vezes, mas considerava perturbador ter de lhes dar resposta, perturbador não saber onde aquilo tudo ia dar e perturbador perceber como isso era desnorteante para o paciente. Respondi com um sim a praticamente todas as suas perguntas, incluindo uma longa série de questões suplementares sobre a depressão, e me descobri sentindo um novo respeito pela psiquiatria e pelo profissionalismo.

Aos poucos, sua experiência como médico e sua segurança como pessoa começaram a fazer efeito, de uma forma muito parecida com o modo pelo qual a medicação começa aos poucos a dominar e a acalmar o tumulto da mania. Ele deixou claro sem qualquer ambivalência que na sua opinião eu tinha a doença maníaco-depressiva e que ia precisar tomar lítio, talvez indefinidamente. A idéia foi para mim muito assustadora – naquela época sabia-se muito menos do que agora sobre a doença e seu prognóstico – mas mesmo assim fiquei aliviada, aliviada de ouvir um diagnóstico que no fundo da minha mente eu sabia ser verdadeiro. Mesmo assim, me debati contra a sentença que eu achava que ele me havia passado. Ele ouviu com paciência. Prestou atenção a todas as explicações enroladas que dei para meu colapso – o estresse de um casamento ameaçado, o estresse de entrar para o corpo docente de psiquiatria, o estresse do excesso de trabalho – e manteve firme seu diagnóstico bem como as recomendações para o tratamento. Fiquei profundamente melindrada, mas sob certo aspecto senti um alívio imenso. E o respeitei enormemente por sua clareza de pensamento, sua evidente preocupação e sua recusa a tergiversar ao me dar as más notícias.

Ao longo dos muitos anos que se seguiram, a não ser quando eu estava morando na Inglaterra, consultei-me com ele pelo menos uma vez por semana. Quando estava extremamente deprimida e com tendência ao suicídio, eu o via com mais freqüência. Ele me manteve viva milhares de vezes. Ele me ajudou durante a loucura, o desespero, casos de amor maravilhosos e terríveis, recaídas da doença, uma tentativa de suicídio quase fatal, a morte de um homem que eu amava imensamente e os enormes prazeres e dissabores da minha vida profissional. Em suma, ele me acompanhou nos inícios e conclusões de praticamente cada aspecto da minha vida psicológica e emocional. Ele era muito inflexível, além de muito gentil. E muito embora compreendesse mais do que qualquer um o quanto eu sentia estar perdendo – em energia, vivacidade e originalidade – ao tomar a medicação, ele nunca foi levado a perder de vista a perspectiva geral de como minha doença era custosa, prejudicial e representava uma ameaça à minha vida. Ele não tinha dificuldades com a ambigüidade, sentia-se bem com a complexidade e era capaz de ser resoluto no meio do caos e da incerteza. Ele me tratava com respeito, com um profissionalismo determinado, inteligência e uma crença inabalável na minha capacidade de melhorar, competir e deixar minha marca.

Embora eu o tivesse procurado para me tratar de uma doença, ele me deu lições, por meio do exemplo, em prol dos meus próprios pacientes, sobre a total interdependência do cérebro com a mente e da mente com o cérebro. Meus temperamentos, estados de espírito e minha doença afetavam, de modo claro e profundo, os relacionamentos que eu tinha com os outros e os fundamentos do meu trabalho. No entanto, meus próprios estados de espírito eram fortemente moldados pelos mesmos relacionamentos e trabalho. O desafio estava em aprender a compreender a complexidade dessa interdependência mútua e em aprender a distinguir os papéis do lítio, da vontade e do *insight* na recuperação e na tentativa de levar uma vida significativa. Era a tarefa e o dom da psicoterapia.

A esta altura da minha existência, não posso imaginar levar uma vida normal sem tomar lítio e sem ter tido os benefícios da psicoterapia. O lítio evita minhas euforias sedutoras, porém desastrosas, ameniza minhas depressões, elimina as teias de aranha do meu pensamento desordenado, faz com que eu reduza a velocidade, me ajuda a avançar sem tropeços, impede a destruição da minha carreira e dos meus relacionamentos, permite que eu fique fora de um hospital, viva, e possibilita a psicoterapia. Mas, de um modo inefável, é a psicoterapia que cura. Ela confere algum sentido à confusão, refreia os pensamentos e sentimentos apavorantes, devolve algum controle, esperança e possibilidade de se aprender com tudo isso. Os comprimidos não podem e não conseguem facilitar nossa volta à realidade. Eles só nos trazem de volta de cabeça, adernando e mais rápido do que às vezes podemos suportar. A psicoterapia é um santuário; um campo de batalha; um lugar em que estive psicótica, neurótica, enlevada, confusa e com uma desesperança inacreditável. Mas sempre, foi ali que acreditei – ou aprendi a acreditar – que um dia talvez pudesse ser capaz de enfrentar tudo isso.

Nenhum comprimido tem condições de me ajudar com o problema de não querer tomar comprimidos. Da mesma forma, nenhuma quantidade de ses-

sões *de psicoterapia pode, isoladamente, evitar minhas manias e depressões. Eu preciso dos dois.* É *estranho dever a vida a comprimidos, a nossas próprias idiossincrasias e teimosias e a esse relacionamento singular, estranho e essencialmente profundo chamado psicoterapia.*

O fato de que eu devia minha vida a comprimidos, no entanto, não ficou óbvio para mim por muito tempo. Minha falta de juízo quanto à necessidade de tomar lítio acabou me custando muito caro.

Saudades de Saturno

As pessoas enlouquecem em estilos idiossincráticos. Talvez não surpreenda que eu, como filha de meteorologista, me descobrisse, naquela gloriosa ilusão dos dias do alto verão, deslizando, voando, de quando em quando fazendo um súbito desvio em meio a montes de nuvens e ao éter, passando por estrelas e atravessando campos de cristais de gelo. Mesmo agora, consigo ver com a visão bastante peculiar da minha mente uma extraordinária dança e fragmentação da luz; cores inconstantes mas arrebatadoras dispostas sobre quilômetros de anéis circulares; e as luas quase imperceptíveis, de uma palidez meio surpreendente, luas dessa roda de Santa Catarina sob forma de planeta. Eu me lembro de cantar "Fly Me to the Moons"* enquanto pas-

---

* Referência à canção "Fly Me to the Moon" (Leve-me voando para a lua). (N. da T.)

sava pelas luas de Saturno e me considerava extremamente engraçada. Vi e vivenciei o que só havia existido em sonhos, ou em fragmentos espasmódicos de aspiração.

Era real? Bem, claro que não, não em nenhum sentido expressivo da palavra "real". Mas a lembrança ficou comigo? Sem a menor dúvida. Muito depois que minha psicose se dissipou e que as medicações assumiram o controle, isso se tornou parte daquilo que as pessoas recordam para sempre, envolto por uma melancolia quase proustiana. Muito tempo depois daquela longa viagem da minha mente e alma, Saturno e seus anéis de gelo adquiriram uma beleza elegíaca, e eu não vejo a imagem de Saturno agora sem sentir uma tristeza intensa pelo fato de ele estar tão distante de mim, por ser tão inacessível sob tantos aspectos. A intensidade, glória e absoluta ousadia do vôo da minha mente tornavam muito difícil que eu acreditasse, quando estivesse me sentindo melhor, que a doença era algo a que eu renunciaria de bom grado. Muito embora eu clinicasse e fosse cientista e muito embora eu pudesse ler a literatura de pesquisa e ver as conseqüências desoladoras e inevitáveis de não tomar lítio, durante muitos anos após meu diagnóstico inicial relutei em tomar o medicamento de acordo com a receita. Por que eu tinha tanta má vontade? Por que foi preciso passar por outros episódios de mania, seguidos de longas depressões suicidas, antes que eu começasse a tomar lítio de uma forma sensata em termos médicos?

Parte da minha relutância, sem dúvida, tinha origem numa negação fundamental de que o que eu tinha era uma doença de verdade. Trata-se de uma reação comum que surge, de uma forma bastante contrária à intuição, na esteira de episódios iniciais da doença maníaco-depressiva. As oscilações de ânimo são uma parte tão essencial da substância da vida, da nossa noção de identidade, que mesmo extremos psicóticos no humor e no comportamento podem de algum modo ser vistos como reações temporárias, até mesmo compreensíveis, ao que a vida nos apresenta. No meu caso, sofri uma horrível sensação de perda pelo que eu havia sido e por onde eu havia estado. Foi difícil renunciar aos altos vôos da mente e da emoção, mesmo se as depressões que inevitavelmente os acompanhavam quase me custassem a vida.

Minha família e meus amigos esperavam que eu acolhesse bem a "normalidade", que eu apreciasse o lítio e que encarasse com naturalidade o fato de ter energia e sono normais. No entanto, se você já teve as estrelas aos seus pés e os anéis dos planetas nas mãos, se está acostumado a dormir quatro ou cinco horas por noite e agora dorme oito, se costumava passar a noite em claro por dias e semanas a fio e agora não consegue, enquadrar-se nos horários convencionais é uma mudança muito real, pois, embora sejam confortáveis para muitos, são novos, repressores, aparentemente menos produtivos e exasperadoramente menos excitantes. Quando eu me queixo de estar menos animada, com menos energia, menos alegre, as pessoas dizem que agora estou como o resto do mundo, querendo, entre outras coisas, me tranqüilizar. Mas eu comparo meu eu atual com meu eu anterior, não com as outras pessoas.

Além disso, costumo comparar meu eu atual com o melhor que já fui, que é quando estive ligeiramente maníaca. Quando sou meu eu atual "normal", estou a enorme distância de quando estive mais alegre, mais produtiva, mais veemente, mais expansiva e efervescente. Em suma, para mim mesma, é difícil me manter à altura das minhas expectativas.

E sinto muita falta de Saturno.

Minha guerra com o lítio começou pouco depois de eu começar a tomá-lo. Minha primeira receita de lítio foi no segundo semestre de 1974; em meados do primeiro semestre de 1975, contrariando recomendações médicas, eu já havia parado de tomar o medicamento. Uma vez que minha mania inicial estava dissipada e que eu estava recuperada da terrível depressão que a acompanhou, um exército de motivos se reuniu na minha cabeça para formar uma forte linha de resistência à medicação. Alguns desses motivos eram de natureza psicológica. Outros estavam relacionados aos efeitos colaterais que sofri em decorrência dos altos níveis sangüíneos de lítio que eram exigidos, pelo menos no início, para manter minha doença sob controle. (Em 1974, a prática médica padrão consistia em manter nos pacientes níveis consideravelmente mais altos de lítio do que nos dias de hoje. Venho tomando há muitos anos uma dose mais baixa de lítio, e praticamente todos os problemas pelos quais passei no início do tratamento já desapareceram.) Foi muito difícil lidar com os efeitos colaterais que sofri durante os dez primeiros anos. Numa pequena minoria de pacientes, na qual me incluo, o nível terapêutico do lítio, o nível em que ele funciona, fica perigosamente próximo ao nível tóxico.

Nunca houve dúvidas de o lítio funcionar muito bem no meu caso. Minha forma da doença maníaco-depressiva é um caso clássico das características clínicas relacionadas a uma boa reação ao lítio: minhas manias são grandiosas e expansivas; tenho uma forte história familiar de incidência da doença; e minhas manias precedem minhas depressões, em vez de ocorrer o contrário. No entanto, a droga afetou seriamente minha vida mental. Descobri-me presa a uma medicação que também provocava náuseas graves e vômitos muitas vezes a cada mês – era freqüente que eu dormisse no chão do banheiro, com a cabeça num travesseiro e toda enrolada na minha gostosa beca de lã de St. Andrews – quando, em decorrência de mudanças nos níveis de sais, na minha dieta, nos exercícios físicos ou nos hormônios, meu nível de lítio subia demais. Passei terrivelmente mal em mais lugares do que gosto de me lembrar, e com total embaraço em locais públicos, desde salas de aula e restaurantes até a National Gallery em Londres. (Tudo isso mudou muito, para melhor, quando passei para uma fórmula de lítio de ação retardada.) Quando ficava particularmente intoxicada, eu começava a tremer, perdia a coordenação motora, trombava com as paredes e minha fala ficava arrastada. Isso resultou não apenas em algumas passagens pelo setor de emergência de hospitais, onde me aplicavam soro para controlar a toxicidade, mas, o que era muito mais mortificante, na impressão que eu dava de estar usando drogas ilícitas ou de ter bebido em excesso.

Num final de tarde, depois de uma aula de equitação em Malibu durante a qual caí duas vezes do meu cavalo, batendo nas balizas de um obstáculo, fui forçada a parar no acostamento da estrada pela polícia. Eles me submeteram a um exame neurológico de beira de estrada de uma meticulosidade impressionante – andei numa linha não muito reta; não consegui levar a ponta do dedo ao nariz; e me demonstrei irremediavelmente incapaz de tocar o polegar com as pontas dos dedos. Só Deus sabe o que minhas pupilas estavam fazendo quando um policial lançou sobre elas uma luz ofuscante. E enquanto eu não tirei meus frascos de medicamentos, dei aos policiais o nome e o telefone do meu psiquiatra e concordei em fazer qualquer exame de sangue que eles quisessem, eles se recusaram a acreditar que eu não estava drogada ou alcoolizada.

Não muito depois desse incidente, assim que aprendi a esquiar, eu estava numa montanha muito alta em algum ponto do Utah, sem saber que as grandes altitudes associadas aos exercícios rigorosos podem elevar os níveis de lítio. Fiquei totalmente desorientada e não consegui descobrir o caminho montanha abaixo. Felizmente um colega meu que sabia que eu estava tomando lítio e que era, ele próprio, um especialista nos seus usos médicos, ficou preocupado quando eu não apareci na hora em que havíamos combinado nos encontrar. Ele concluiu que eu poderia estar intoxicada pelo lítio, mandou a patrulha de esquis à minha procura, e eu desci a montanha em segurança, embora numa posição bem mais horizontal do que eu teria preferido.

As náuseas, os vômitos e a eventual intoxicação, embora irritantes e ocasionalmente embaraçosas, tinham importância muito menor para mim do que o efeito do lítio sobre minha capacidade para ler, compreender e lembrar o que havia lido. Em casos raros, o lítio provoca problemas de acomodação visual que podem, por sua vez, gerar uma espécie de visão embaçada. Ele pode também prejudicar a concentração, a capacidade de atenção e afetar a memória. A leitura, que havia estado no cerne da minha existência intelectual e emocional, de repente estava fora do meu alcance. Antes eu costumava ler três ou quatro livros por semana. Isso era agora impossível. Não li uma obra séria de literatura ou de não-ficção, do início até o fim, durante mais de dez anos. A frustração e a dor daí decorrentes eram imensuráveis. Eu jogava livros na parede numa fúria cega e, raivosa, varejava revistas médicas para o outro lado do consultório. Eu conseguia ler artigos especializados melhor do que os livros, por serem aqueles mais curtos; mas era com enorme dificuldade, e eu precisava ler repetidamente as mesmas linhas e fazer grande quantidade de anotações para poder compreender o significado. Mesmo assim, o que eu lia costumava desaparecer da minha cabeça como neve numa calçada quente. Aderi à tapeçaria como diversão e fiz inúmeras almofadas e guarda-fogos na vã tentativa de preencher as horas que antes eu preenchia com a leitura.

A poesia, graças a Deus, continuava ao meu alcance; e, como eu sempre a havia apreciado, agora me jogava sobre ela com uma paixão difícil de descrever. Descobri que os livros infantis, que, além de serem mais curtos do que os livros escritos para adultos, também eram impressos com letras maiores, eram relativamente acessíveis para mim; e li mais uma vez repetidamente os clássicos da infância – *Peter Pan, Mary Poppins, Charlotte's Web, Huckleberry Finn,* os livros de Oz, *Doctor Dolittle* – que um dia, tantos anos antes, descortinaram para mim universos tão inesquecíveis. Agora eles me concediam uma segunda chance, uma segunda aragem de prazer e beleza. No entanto, dentre todos os livros infantis, eu voltava com maior freqüência a *The Wind in the Willows.* De vez em quando eu me descobria totalmente dominada por ele. Lembro-me de que numa ocasião entrei em colapso total numa determinada passagem que descrevia a Toupeira e sua casa. Eu chorava, chorava e não conseguia parar.

Recentemente, apanhei meu exemplar de *The Wind in the Willows,* que ficou na estante sem ser tocado desde que recuperei minha capacidade de ler, e tentei detectar o que foi que provocou uma reação tão dilacerante. Depois de uma breve busca, encontrei a passagem que estava procurando. A Toupeira, que há muito tempo estava afastada da sua casa subterrânea, explorando o mundo da luz e da aventura com seu amigo Ratinho, está passeando numa noite de inverno e de repente, com a "lembrança com força total", sente o cheiro da sua velha casa. Desesperada para revisitá-la, ela luta para convencer o Rato a acompanhá-la.

– *Por favor, Ratinho!* – *implorou a pobre Toupeira, com o coração angustiado.* – *Você não está entendendo! É a minha casa, minha velha casa!*

Acabo de sentir seu cheiro, e ela fica por aqui, bem pertinho. Eu preciso ir lá, preciso, preciso! Ai, Ratinho, volte! Por favor, volte aqui!

O Rato, de início preocupado e relutante com o tempo perdido, afinal visita a Toupeira na sua casa. Mais tarde, depois de cânticos de Natal e de um golinho de cerveja aquecida e adoçada diante da lareira, a Toupeira reflete sobre como sentiu falta do aconchego e segurança do que havia conhecido no passado, todo aquele "ambiente amigo que há muito fazia parte do seu inconsciente". Nesse ponto da leitura, lembrei-me com exatidão e com uma força visceral do que eu havia sentido ao ler o trecho pouco tempo depois de ter começado a tomar lítio: eu sentia falta de casa, da minha mente, minha vida de livros e do "ambiente amigo", meu mundo, no qual a maioria das coisas tinha seu lugar e no qual nada de terrível conseguia penetrar para causar destruição. Agora eu não tinha nenhuma opção a não ser a de viver no mundo fragmentado que minha mente me havia imposto. Eu sentia saudade dos dias que havia conhecido antes que a loucura e a medicação se insinuassem em todos os aspectos da minha existência.

Normas para a aceitação sem tropeços do lítio
na sua vida

1. Esvazie o armário de remédios antes que cheguem convidados para jantar ou que namorados novos venham passar a noite.
2. Lembre-se de devolver o lítio para o armário no dia seguinte.

3. *Não se envergonhe com sua falta de coordenação ou sua incapacidade de se sair bem nos esportes que no passado praticava sem dificuldade.*
4. *Aprenda a rir do fato de derramar café, de ter a assinatura vacilante de alguém com oitenta anos e de não conseguir pôr um par de abotoaduras em menos de dez minutos.*
5. *Sorria quando as pessoas brincarem a respeito de achar que "precisariam estar tomando lítio".*
6. *Concorde, com um ar de inteligência e convicção, quando seu médico lhe explicar as inúmeras vantagens do lítio na eliminação do caos na sua vida.*
7. *Seja paciente enquanto espera por essa eliminação. Muito paciente. Releia o* Livro de Jó. *Continue a ser paciente. Considere a semelhança entre as expressões "ser paciente" e "ser um paciente".*
8. *Procure não se deixar irritar pelo fato de você não conseguir ler sem esforço. Encare isso com serenidade. Mesmo que conseguisse ler, provavelmente não se lembraria da maior parte.*
9. *Adapte-se a uma certa falta do entusiasmo e vitalidade que você tinha antes. Procure não pensar em todas as noites vibrantes que você já passou. Talvez fosse melhor não ter passado aquelas noites mesmo.*
10. *Sempre tenha em mente como você está melhor. Todos os outros sem dúvida salientam esse ponto com suficiente freqüência e, por irritante que seja, é provável que seja verdade.*
11. *Seja grato. Nem mesmo chegue a* considerar *a hipótese de parar de tomar o lítio.*
12. *Quando você parar, ficar maníaco e entrar em depressão, espere ouvir dois temas básicos da sua família, dos seus amigos e terapeutas:*

- *Mas você estava se saindo tão bem. Simplesmente não entendo.*
- *Eu disse que isso ia acontecer.*
13. *Reabasteça seu armário de medicamentos.*

As questões psicológicas acabaram se revelando muito mais importantes do que os efeitos colaterais na minha prolongada resistência ao lítio. Eu simplesmente não queria acreditar que precisava tomar a medicação. Eu me tornara viciada nos meus ânimos ascendentes. Eu já era dependente da sua intensidade, euforia, segurança e da sua capacidade contagiante de induzir nas outras pessoas animação e entusiasmos. Como os jogadores que sacrificam tudo pelos instantes arrebatadores porém efêmeros em que estão ganhando, ou como cocainômanos que arriscam suas famílias, suas carreiras e suas vidas por rápidos interlúdios de alta energia e alto astral, eu considerava meus estados brandos de mania intensamente inebriantes e muito propiciadores da produtividade. Eu não podia renunciar a eles.

O que era mais fundamental, graças a pais obstinados, à minha própria teimosia e a uma formação militar de WASP, eu tinha a convicção genuína de que deveria ser capaz de lidar com quaisquer dificuldades que surgissem no meu caminho sem ter de depender de muletas, como a da medicação.

Eu não era a única a se sentir desse jeito. Quando adoeci, minha irmã foi irredutível na posição de que eu não deveria tomar lítio e ficou revoltada por eu aceitar a medicação. Numa estranha regressão à formação puritana contra a qual costumava se enfurecer, ela deixou clara sua opinião de que eu deveria "agüentar o tranco" das minhas depressões e manias e de que minha alma iria definhar se eu optasse por amortecer a intensidade e a dor das minhas experiências através da medicação. A combinação das suas melancolias cada vez piores com as minhas, associada à perigosa sedução das suas opiniões sobre a medicação, tornou muito difícil para mim a manutenção de um relacionamento com ela. Uma noite, há muitos anos, ela me passou um sermão por "capitular diante da Medicina Organizada" ao "fazer desaparecer meus sentimentos com o uso do lítio". Disse ela que minha personalidade estava árida, que o fogo se extinguia e que eu não passava de uma sombra do que havia sido. Isso tocou fundo em mim, como imagino que ela soubesse que tocaria, mas simplesmente deixou furioso o homem com quem eu estava saindo na época. Ele me havia visto muito mal mesmo e não via nenhum valor a preservar naquela insanidade. Ele procurou ser espirituoso para esvaziar a situação: "Sua irmã pode ser apenas uma sombra do que foi, mas essa sombra é o que eu consigo manejar, ou mais do que consigo" – mas minha irmã voou para cima dele, deixando-me revoltada por dentro e mais uma vez cheia de dúvidas quanto a minha decisão de tomar lítio.

    Eu não tinha condições de ficar perto demais de alguém que representava, como minha irmã, as tentações que ocupavam minha mente não medicada: os ecos da criação a dizer que cada um deveria ser capaz de resolver tudo sozinho; a atração extrema de reconquistar êxtases e entusiasmos perdidos. Eu estava começando, *apenas* começando, a entender que o que estava em jogo não era só minha mente mas minha vida. No entanto, eu não havia sido criada para me submeter sem lutar. Eu realmente acreditava em todas aquelas coisas que me haviam ensinado sobre agüentar o tranco, sobre a autoconfiança e sobre não atrapalhar os outros com nossos problemas. Ao olhar em retrospectiva para a destruição causada por esse tipo de orgulho e estupidez cega, porém, eu me pergunto agora no que é que eu poderia estar pensando. Também me havia sido ensinado a pensar por mim mesma. Por que, então, eu não questionava essas noções rígidas e inaplicáveis de autoconfiança? Por que eu não percebia como meu desafio era realmente absurdo?

Há alguns meses pedi a meu psiquiatra uma cópia do meu histórico médico. Meu exame deles foi uma experiência muito desconcertante. Em março de 1975, seis meses depois de começar com o lítio, eu já havia parado de tomá-lo. Dentro de semanas, fiquei maníaca e em seguida gravemente deprimida. Mais tarde naquele mesmo ano voltei ao lítio. Enquanto eu passava os olhos pelas anotações do meu médico pela primeira vez, fiquei estarrecida de encontrar uma continuação do modelo.

> 17-7-75 Paciente optou por voltar ao lítio em decorrência da severidade dos seus episódios depressivos. Começará com lítio 300 mg. Duas vezes ao dia.
> 25-7-75 Vômitos.
> 5-8-75 Tolera o lítio. Fica deprimida ao perceber que era mais hipomaníaca do que acreditava.

30-9-75 *Paciente parou novamente com o lítio. Diz que é muito importante provar que sabe lidar com o estresse sem a medicação.*

2-10-75 *Continua sem tomar o lítio. Já está hipomaníaca. Tem plena consciência disso.*

7-10-75 *Paciente de volta ao lítio por causa do aumento da irritabilidade, da insônia e incapacidade para se concentrar.*

Parte da minha teimosia pode ser atribuída à natureza humana. É difícil para qualquer pessoa com uma doença, crônica ou aguda, tomar a medicação exatamente de acordo com a prescrição. Uma vez que os sintomas de uma doença se abrandem ou desapareçam, torna-se ainda mais difícil. No meu caso, uma vez que estivesse novamente me sentindo bem, eu já não tinha nem a vontade de continuar com a medicação nem o estímulo para tal. Para começo de conversa, eu não queria tomar o medicamento; para mim era difícil a adaptação aos efeitos colaterais; eu sentia falta da minha exultação; e, uma vez que eu estivesse novamente me sentindo normal, era muito fácil negar que eu tinha uma doença que voltaria. De algum modo eu estava convencida de que eu era uma exceção à extensa literatura de pesquisa, que demonstrava claramente não só que a doença maníaco-depressiva volta, mas que ela costuma voltar numa forma mais grave e freqüente.

Não se tratava de eu algum dia considerar que o lítio fosse uma droga ineficaz. Longe disso. As comprovações da sua eficácia e segurança eram irrefutáveis. Além do mais, eu sabia que ele funcionava comigo. Tampouco se tratava de eu ter algum argumento moral contra os medicamentos psiquiátricos. Pelo contrário, eu não tinha, e continuo não tendo, nenhuma tolerância para com aqueles indivíduos – especialmente psiquiatras e psicólogos – que se opõem ao uso de medicamentos para doenças psiquiátricas; aqueles médicos que de algum modo fazem uma distinção entre o sofrimento e a possibilidade de tratamento de "doenças médicas", como a doença de Hodgkin ou o câncer da mama, e "doenças psiquiátricas", como a depressão, a depressão maníaca ou a esquizofrenia. Acredito, sem a menor dúvida, que a doença maníaco-depressiva é uma doença médica. Também acredito que, com raras exceções, é negligência tratar essa enfermidade sem uso de medicação. Deixando de lado todas essas opiniões, porém, eu ainda de algum modo acreditava que deveria seguir em frente sem drogas, que eu deveria ser capaz de continuar a fazer as coisas ao meu modo.

Meu psiquiatra, que levava muito a sério todas essas queixas – aflições existenciais, efeitos colaterais, questões de valor da minha criação – nunca vacilou na sua convicção de que eu deveria tomar lítio. Graças a Deus, ele se recusou a ser atraído para minha teia elaborada e apaixonada de raciocínio sobre os motivos pelos quais eu deveria tentar, só mais uma vez, sobreviver sem tomar medicação. Ele sempre mantinha em perspectiva a opção básica: a questão não era a de o lítio ser uma droga problemática; não se tratava de eu sentir falta da minha animação; não se tratava do fato de tomar a medicação combinar ou não com alguma noção idealizada da minha formação familiar. A questão subjacente era saber se eu ia ou não tomar o lítio de forma apenas intermitente, garantindo, assim, uma recorrência das minhas manias e depressões. A escolha, aos olhos dele – e como agora está dolorosamente evidente para mim – era entre a loucura e a sanidade, e entre a vida e a morte. Minhas manias estavam ocorrendo com maior freqüência e, cada vez mais, estavam se tornando de natureza "mista" (ou seja, meus episódios predominantemente eufóricos, os que eu considerava minhas "manias brancas", estavam se revestindo cada vez mais de depressões agitadas); minhas depressões estavam ficando piores e cada vez mais suicidas. Poucos tratamentos médicos, como ele salientou, são isentos de efeitos colaterais; e, levando-se em conta todos os aspectos, o lítio provoca menos reações adversas do que a maioria. Decerto, ele era um grande avanço em comparação com os tratamentos brutais e ineficazes que o precederam – correrias, sangrias, compressas úmidas, hospícios e furadores de gelo enfiados nos lobos – e embora os medicamentos anticonvulsivantes agora sejam muito eficazes e costumem ter menos efeitos colaterais, para muitas pessoas que sofrem da doença maníaco-depressiva, o lítio continua sendo uma droga extremamente eficaz. Eu sabia tudo isso, embora tivesse menos convicção do que agora.

Na realidade, por trás daquilo tudo, eu estava de fato abrigando o pavor secreto de que o lítio pudesse *não* funcionar. E se eu o tomasse, e ainda assim passasse mal? Se, por outro lado, eu não o tomasse, não teria de ver a realização dos meus piores medos. Meu psiquiatra desde muito cedo percebeu esse terror na minha alma, e há uma pequena observação nas suas anotações médicas que captou com perfeição esse medo paralisante: *Paciente considera a medicação uma promessa de cura, e um meio de suicídio se não funcionar. Ela teme que, ao tomar a medicação, estará arriscando seu último recurso.*

Anos mais tarde, eu estava no salão de baile de um hotel lotado com mais de mil psiquiatras, muitos deles comendo feito loucos. A boca livre, por pior que seja a qualidade da comida e da bebida, tem o poder de fazer com que os médicos saiam dos seus cantos e se aproximem dos cochos. Jornalistas e outros escritores costumam comentar a migração dos psiquiatras em agosto, mas há um tipo diferente de comportamento de manada em maio – o mês de maior incidência de suicídios, vale ressaltar – quando quinze mil psiquiatras de todas as tendências comparecem à reunião anual da Associação Psiquiátrica Americana. Alguns dos meus colegas e eu deveríamos fazer palestras sobre recentes progressos no diagnóstico, na fisiopatologia e no tratamento da doença maníaco-depressiva. É claro que eu estava feliz de ver que a doença da qual eu sofria atraía tanta gente. Era um dos anos em que esteve na moda, mas eu também sabia que era inevitável que, em outros anos, esse papel fosse conquistado, por sua vez, pelo transtorno obsessivo-compulsivo, pelo transtorno da múltipla personalidade, pelo transtorno do pânico ou por qualquer outra doença que cativasse nosso campo, que prometesse um tratamento inovador, que tivesse as imagens de *PET scan* (tomografia por emissão de positrons) mais coloridas, que tivesse sido o pivô de algum processo especialmente desagradável e dispendioso ou que estivesse começando a se tornar prontamente reembolsável por parte das companhias de seguros. Eu estava programada para falar sobre os aspectos psicológicos e médicos do tratamento com lítio e, como costuma acontecer, comecei com uma citação de um "paciente com doença maníaco-depressiva". Li o texto como se tivesse sido escrito por outra pessoa, embora fosse minha própria experiência que estava sendo relatada.

O interrogatório interminável afinal terminou. Meu psiquiatra olhou para mim. Não havia nenhuma incerteza na sua voz. "Doença maníaco-depressiva." Admirei sua franqueza. Desejei que gafanhotos caíssem sobre suas terras e a peste sobre sua casa. Uma fúria silenciosa, inacreditável. Dei um sorriso simpático. Ele sorriu de volta. A guerra acabava de começar.

A veracidade da situação clínica despertou receptividade pois é raro o psiquiatra que não tenha precisado lidar com a sutil, e não tão sutil, resistência ao tratamento apresentada por muitos pacientes da doença maníaco-depressiva. A frase final, "A guerra acabava de começar", gerou risadaria geral. A graça estava, no entanto, mais no relato do que na realidade de vivenciar a situação. Infelizmente, essa resistência ao uso do lítio se apresenta nas vidas de dezenas de milhares de pacientes a cada ano. Quase sempre essa atividade leva à recorrência da doença.

Não é incomum que isso resulte em tragédia. Alguns anos depois da minha própria luta contra o lítio, eu veria isso acontecer com um paciente meu. Para mim, ele se tornou um lembrete especialmente doloroso dos altos custos da oposição ao tratamento.

O setor de emergência da UCLA estava fervilhando com residentes, internos e estudantes de medicina. Além disso, de uma forma bastante estranha, ele estava fervilhando com doença e morte. A movimentação das pessoas era rápida, com o tipo de segurança vigorosa que a alta inteligência, a boa formação e as circunstâncias prementes costumam gerar; e, apesar do motivo infeliz para eu ter sido chamada ao setor de emergência – um dos meus pacientes havia sido internado em crise psicótica – eu me descobri inevitavelmente apanhada por aquele ritmo caótico e estimulante. Ouviu-se então um berro absolutamente horripilante vindo de uma das salas de admissão – um berro de pavor e loucura inegável – e eu segui correndo pelo corredor. Passei pelas enfermeiras, por um residente de medicina que ditava anotações para a ficha de um paciente e por um residente de cirurgia debruçado sobre prontuários com uma xícara de café na mão, um lápis hemostático preso à manga curta do uniforme verde e um estetoscópio pendurado no pescoço.

Abri a porta da sala onde os berros haviam começado, e meu coração desfaleceu. A primeira pessoa que vi foi o residente de psiquiatria de plantão, que eu conhecia. Ele me deu um sorriso compreensivo. Vi então meu paciente, amarrado a uma maca por faixas de couro de quatro pontos. Ele estava deitado de costas, com as pernas e os braços abertos, cada pulso e tornozelo preso por tiras de couro e com mais uma faixa atravessada sobre o peito. Meu estômago revoltou-se. Apesar das contenções, eu também estava apavorada. No ano anterior, esse mesmo paciente havia encostado uma faca no meu pescoço durante uma sessão de psicoterapia no meu consultório. Na ocasião, chamei a polícia, e ele foi internado à revelia numa das enfermarias de segurança do Instituto de Neuropsiquiatria da UCLA. Setenta e duas horas mais tarde, pela sabedoria impressionantemente cega do sistema judiciário norte-americano, ele foi solto e devolvido à comunidade. E aos meus cuidados. Percebi com certa ironia que os três policiais que estavam parados junto à maca, dois dos quais com as mãos pousadas sobre suas armas, evidentemente consideravam que ele representava uma "ameaça a si mesmo e aos outros" mesmo que o juiz não tivesse pensado assim.

Ele berrou novamente. Era um som realmente primitivo e assustador, em parte porque ele próprio estava tão apavorado, e em parte porque era muito alto, muito grande e estava totalmente psicótico. Pus minha mão no seu ombro e senti que seu corpo todo tremia, descontrolado. Eu nunca havia visto um medo daqueles nos olhos de ninguém, nem tanta agitação visceral e dor psicológica. A mania delirante tem muitos aspectos, e todos eles são terríveis demais para serem descritos. O residente lhe havia aplicado uma dose maciça de um medicamento antipsicótico, mas a droga ainda não estava fazendo efeito. Ele estava delirante, paranóico, extremamente incoerente e passando por alucinações visuais e auditivas. Ele me lembrou filmes que eu havia visto, de cavalos presos em incêndios, com os olhos desvairados de medo e o corpo paralisado de pavor. Apertei um pouco mais seu ombro e o sacudi com delicadeza, dizendo: "Sou eu, a Dra. Jamison. Deram-lhe Haldol. Vamos levá-lo para a enfermaria. Você vai ficar bom." Consegui atrair sua atenção por um instante. E ele berrou de novo. "Você vai ficar bom. Sei que não está acreditando agora, mas vai ficar bom, sim." Olhei para os três grossos volumes da sua história médica em cima da mesa próxima, pensei nas suas inúmeras hospitalizações e me questionei quanto à veracidade dos meus comentários.

Eu não tinha nenhuma dúvida de que ele voltaria a ficar bom. Quanto tempo isso duraria já era outra história. O lítio funcionava muito bem no seu caso; mas, uma vez que as alucinações e o terror abjeto terminassem, ele costumava parar com a medicação. Nem o residente nem eu precisávamos ver os resultados do nível de lítio no sangue que havia sido tirado quando ele entrou no setor de emergência. Não haveria nenhum lítio no sangue. O resultado havia sido a mania. Era inevitável que a depressão suicida se seguisse, da mesma forma que a dor indescritível e a desintegração da sua vida e da vida dos membros da sua família. A severidade das suas depressões era um reflexo sinistro da periculosidade das suas manias. Em suma, sua forma da doença era especialmente grave, embora não rara. O lítio funcionava bem, mas ele se recusava a tomá-lo. Sob muitos aspectos, enquanto eu estava parada ao seu lado no setor de emergência, tive a impressão de que todo o tempo, esforço e energia emocional que eu e os outros empenhávamos no seu tratamento tinham pouca ou nenhuma utilidade.

Aos poucos, o Haldol começou a fazer efeito. Os berros pararam; acalmaram-se os esforços frenéticos contra as faixas que o amarravam. Ele estava menos assustado e menos assustador. Depois de algum tempo, ele falou comigo, com uma voz lenta e arrastada: "Não vá embora, Dra. Jamison. Por favor, não me deixe, por favor." Eu lhe assegurei que ficaria com ele até ele chegar à enfermaria. Eu sabia que eu era o único fator constante em todas as suas hospitalizações, comparecimentos a tribunais, reuniões de família e depressões profundas. Na qualidade de psicoterapeuta sua há anos, eu tinha conhecimento dos seus sonhos e medos; dos seus relacionamentos promissores, depois destruídos; dos seus planos grandiosos para o futuro, depois destroçados. Eu havia visto sua notável capacidade de recuperação, sua coragem pessoal e sua inteligência. Eu gostava dele e sentia enorme respeito por ele. Mas eu também estava cada vez mais frustrada com sua recusa insistente a aceitar a medicação. A partir da minha própria experiência, eu podia compreender sua preocupação com o lítio, mas só até certo ponto. Dali em diante, eu estava considerando muito difícil ficar observando enquanto ele sofria recorrências tão previsíveis, dolorosas e desnecessárias da sua doença.

Nenhuma quantidade de psicoterapia, instrução, persuasão ou coação funcionava. Nenhum acordo elaborado pela equipe médica e de enfermagem funcionava. A terapia familiar não ajudou. Nenhum levantamento das hospitalizações, dos relacionamentos rompidos, dos desastres financeiros, empregos perdidos, detenções, do desperdício de uma cabeça instruída, criativa, competente, funcionava. Nada que eu ou qualquer outra pessoa conseguíssemos bolar surtia efeito. Ao longo dos anos, pedi a alguns colegas meus que o atendessem em consulta, mas eles, como eu, não conseguiram descobrir uma forma de chegar até ele, nenhuma fissura na armadura bem rebitada da sua resistência. Passei horas conversando com meu próprio psiquiatra a respeito dele, em parte em busca de conselhos clínicos, e em parte para me certificar de que minha própria história de paradas e recomeços com o lítio não estaria desempenhando algum papel inconsciente, não reconhecido. Seus ataques de mania e depressão foram ficando mais freqüentes e sérios. Nunca surgia nenhuma novidade. Nenhum final feliz. Simplesmente não existia nada de que a medicina ou a psicologia pudessem se valer para fazer com que ele tomasse a medicação tempo suficiente para se manter bem. O lítio funcionava, mas ele se recusava a tomá-lo. Nosso relacionamento funcionava, mas não o suficiente. Ele sofria de uma doença terrível, que acabou lhe custando a vida – como acontece com dezenas de milhares de pessoas todos os anos. Havia limites para o que qualquer um de nós podia fazer por ele, e isso me dilacerou por dentro.

    Todos nós nos movimentamos com dificuldade dentro das nossas limitações.

A Câmara Mortuária

Eu colhi os frutos amargos da minha própria recusa a tomar o lítio com regularidade. Uma mania rematadamente psicótica foi acompanhada, de modo inevitável, por uma depressão suicida, profunda, prolongada e dilacerante. Ela durou mais de um ano e meio. Desde a hora em que acordava de manhã até a hora em que ia dormir à noite, eu sentia uma angústia insuportável e parecia incapaz de qualquer tipo de alegria ou entusiasmo. Tudo – cada pensamento, palavra, movimento – era um esforço. Tudo que antes borbulhava agora estava sem sabor. A mim mesma eu parecia sem graça, entediante, incompetente, embotada, obtusa, indiferente, fria, sem vida e sem cor. Eu duvidava totalmente da minha capacidade de fazer alguma coisa bem. Parecia que minha mente havia reduzido a velocidade e se consumido a ponto de se tornar virtualmente inútil. A massa cinzenta aflita, complicada e pateticamente confusa funcionava apenas o suficiente para me atormentar com uma ladainha enfadonha sobre meus defeitos e falhas de caráter, e para me provocar com a total e desesperada inutilidade de tudo. Qual é o sentido de seguir em frente assim? Eu me perguntava. Outros me diziam que era só temporário; que passaria; que eu superaria a fase, mas é claro que eles não faziam a menor idéia de como eu me sentia, embora eles próprios tivessem certeza de que sabiam. Foram inúmeras as vezes em que me perguntei, se eu não posso sentir, se não posso me mexer, se não posso pensar e se não consigo me importar, então qual era o sentido concebível de continuar vivendo.

Era espantosa a morbidez da minha cabeça. A Morte e seus semelhantes eram companheiros constantes. Eu via a Morte por toda a parte, e via mortalhas, etiquetas de identificação de cadáveres e sacos para transporte de corpos com os olhos da imaginação. Tudo me lembrava o fato de que tudo terminava na câmara mortuária. Minha memória sempre acompanhava a linha negra do sistema subterrâneo da mente. Os pensamentos passavam de um momento atormentado do meu passado para outro. Cada parada no trajeto era pior do que a anterior. E, sempre, tudo era um esforço. Lavar a cabeça levava horas, e depois eu ficava horas a fio exausta. Encher a bandeja de gelo estava acima da minha capacidade, e eu de vez em quando dormia com a mesma roupa que havia usado durante o dia porque estava extenuada demais para me despir.

Durante esse período, eu me consultava com meu psiquiatra duas ou três vezes por semana e, finalmente, voltara a tomar o lítio com regularidade. Suas anotações, além de manter o controle da medicação que eu estava tomando – por um curto período eu havia tomado antidepressivos, por exemplo, mas eles só me haviam deixado num estado mais perigoso de agitação – também registravam o desespero, o desamparo e a vergonha, sem tréguas, todo santo dia, toda santa semana, que a depressão estava provocando. *"Paciente com tendências suicidas intermitentes. Quer pular do alto do poço da escada do hospital"; "Paciente continua a apresentar sério risco suicida. Hospitalização é totalmente inaceitável na sua opinião, e a meu ver ela não pode ser detida sob a LPS [lei californiana sobre internação de doentes mentais]"; "Desespero quanto ao futuro; teme recorrência e teme ter de lidar com o fato de ter se sentido como se sentiu"; "Paciente sente muita vergonha dos sentimentos que tem e adota a atitude de que, não importa qual seja o curso da sua depressão, ela 'não vai tolerar isso'"; "Paciente reluta em estar com pessoas quando deprimida porque acredita que sua depressão é um peso intolerável para os outros"; "Com medo de sair do meu consultório. Não dorme há dias. Desesperada".* A essa altura, houve um curto alívio na minha depressão, só para ser seguido da sua volta terrível e aparentemente inevitável. *"Paciente tem a impressão de que se partiu. Sem esperanças, por terem voltado os sentimentos depressivos."*

Meu psiquiatra tentou repetidamente me convencer a me internar num hospital psiquiátrico, mas eu me recusei. Tinha pavor da idéia de ser trancafiada; de me afastar de ambientes familiares; de ter de freqüentar reuniões de terapia de grupo; e de ter de suportar todas as indignidades e invasões da privacidade características da internação numa enfermaria psiquiátrica. Na época, eu estava trabalhando numa enfermaria fechada, e não me agradava a idéia de ficar sem a chave. Minha preocupação principal, no entanto, era com a possibilidade de que, se se tornasse de conhecimento público que eu havia sido internada, na melhor das hipóteses meu trabalho e minha aliança para clinicar seriam suspensos; na pior, eles seriam revogados para sempre. Continuei a oferecer resistência a uma hospitalização voluntária; e, como o código para internação de doentes mentais da Califórnia foi elaborado mais para o conforto dos advogados do que para o bem-estar dos pacientes, para mim teria sido relativamente fácil conseguir sair de uma internação involuntária só com uma conversa. Mesmo que eu tivesse sido internada, não havia absolutamente nenhuma garantia de que eu não tivesse tentado ou cometido o suicídio enquanto estivesse na enfermaria. Os hospitais psiquiátricos não são lugares incomuns para o suicídio. (Depois dessa experiência, elaborei um acordo inequívoco com meu psiquiatra e com a família no sentido de que, se eu voltar a entrar em depressão profunda, eles têm a autoridade para aprovar, contra minha vontade se necessário, tanto a terapia de eletrochoque, excelente tratamento para certos tipos de depressão severa, quanto a hospitalização.)

Naquela época, nada parecia surtir efeito, apesar do excelente atendimento médico, e eu simplesmente queria morrer e acabar com aquilo. Resolvi me matar. Estava com a determinação implacável de não dar nenhuma indicação dos meus planos ou do meu estado de espírito. Tive sucesso. A única anotação feita pelo meu psiquiatra no dia anterior à minha tentativa de suicídio foi a seguinte: *Seriamente deprimida. Muito calada.*

Em fúria, arranquei a lâmpada do banheiro da parede e senti a violência me atravessar mas ainda não me deixar. "Pelo amor de Deus", disse ele, entrando às pressas e depois parando muito quieto. Meu Deus, eu devo estar louca, dá para ver isso nos olhos dele: uma terrível mistura de preocupação, pavor, irritação, resignação e por que logo comigo? "Você se machucou?", pergunta ele. Voltando minha cabeça com seus olhos velozes, vejo no espelho o sangue que escorre pelos meus braços, que se acumula nas nervuras apertadas do meu négligé lindo e erótico, só uma hora antes usado numa paixão de um tipo totalmente diferente e maravilhoso. "Não dá para controlar. Não dá para controlar", repito para mim mesma, mas não consigo dizer as palavras. As palavras não querem sair, e os pensamentos estão rápidos demais. Bato minha cabeça inúmeras vezes contra a porta. Meu Deus, faça isso parar, não consigo agüentar, sei que estou louca de novo. Ele realmente se importa, acho eu, mas dentro de dez minutos ele também está gritando, e seus olhos estão desvairados com uma loucura contagiosa, decorrente da adrenalina que faísca entre nós dois. "Não posso deixar você desse jeito", mas eu digo algumas coisas bem horríveis e vôo na sua jugular de um modo mais literal. Ele vai mesmo embora, provocado além da sua capacidade de suportar e impossibilitado de ver a devastação e o desespero internos. Eu não consigo transmitir isso, e ele não consegue ver. Não há nada a ser feito. Não posso pensar, não posso acalmar esse caldeirão assassino. Minhas idéias grandiosas de uma hora atrás parecem absurdas e patéticas. Minha vida está em ruínas e – o que é pior – está espalhando a ruína. Meu corpo está inabitável. Ele está enraivecido, choroso, cheio de destruição e energia louca e descontrolada. No espelho vejo uma criatura que não conheço mas com quem devo viver e dividir minha mente.

Compreendo por que Jekyll se matou antes que Hyde o dominasse completamente. Tomei uma dose cavalar de lítio sem nenhum remorso.

Nos círculos psiquiátricos, se a pessoa se mata, ela conquista o direito a que seu suicídio seja considerado um "sucesso". É um sucesso que se pode dispensar. No meio dos meus dezoito meses indescritivelmente terríveis de luta contra a depressão suicida, concluí que ela é o meio encontrado por Deus para manter os maníacos no seu lugar. E funciona. A melancolia profunda é uma agonia quase no nível arterial, presente as vinte e quatro horas do dia. É uma dor inexorável e cruel que não oferece nenhuma abertura para a esperança, nenhuma alternativa a uma existência lúgubre e nauseante, e nenhuma folga das frias correntes ocultas do pensamento e sentimento que dominam as noites horrivelmente inquietas do desespero. Quando se atribuem conceitos puritanos como o de "sucesso" e de "fracasso" ao tremendo ato final do suicídio, pressupõe-se que os que "fracassam" na tentativa de se matar são não só fracos, mas incompetentes, incapazes de acertar até mesmo na questão da própria morte. O suicídio é, porém, quase sempre um ato irracional e raramente se faz acompanhar do tipo de intelecto rigoroso que está presente nos nossos melhores dias. É também freqüente que ele seja impulsivo e não necessariamente executado da forma originalmente planejada.

Eu, por exemplo, achei que havia coberto todas as contingências. Não agüentava mais o sofrimento, não tolerava mais a pessoa exausta e cansativa que eu me havia tornado, e sentia que não podia continuar a ser responsável pela perturbação que estava impondo aos meus amigos e à minha família. Num vínculo irracional criado na minha cabeça, eu achava que, como o piloto que eu havia visto se matar para salvar as vidas de outros, eu estava agindo da única forma justa para com as pessoas de quem eu gostava. Era também a única decisão sensata a tomar para meu próprio bem. Qualquer um sacrificaria um animal por um sofrimento muito menor.

A certa altura comprei um revólver, mas numa onda transitória de racionalidade contei o fato ao meu psiquiatra. Relutante, livrei-me da arma. Depois, durante muitos meses, costumava ir até o oitavo andar do poço das escadas do hospital da UCLA e, repetidamente, mal resistia ao impulso de me jogar do parapeito. A depressão suicida não costuma ser um tipo de estado cheio de ponderação, voltado para o outro ou com consideração pelo outro, mas de algum modo a idéia de que minha família teria de identificar meu corpo caído e fraturado acabou por tornar esse método inaceitável. Por isso, optei por uma solução que me pareceu poética na sua circularidade. O lítio, embora em última análise me salvasse a vida, naquela ocasião específica estava me trazendo dor e tristeza infinitas. Por esse motivo, resolvi tomar uma dose cavalar.

Com o objetivo de impedir que o lítio fosse vomitado de volta, eu fora a um setor de emergência e conseguira uma receita para um medicamento antiemético. Esperei, então, por uma brecha na "vigilância" informal que meus amigos e família em conjunto com meu psiquiatra haviam estabelecido. Isso feito, tirei o telefone do quarto para não atendê-lo inadvertidamente – eu não podia simplesmente tirá-lo do gancho porque isso alertaria meus guardiães – e, depois de uma briga terrível, num estado de muita agitação e violência, tomei punhados e mais punhados de comprimidos. Enrodilhei-me então na cama e esperei para morrer. Eu não havia previsto que o cérebro drogado age de modo diferente do cérebro alerta. Quando o telefone tocou, eu devo ter pensado instintivamente em atender. Por isso, fui engatinhando, meio entorpecida, até o telefone na sala de estar. Minha voz arrastada alertou meu irmão, que estava ligando de Paris para saber como eu estava indo. Ele imediatamente telefonou para meu psiquiatra.

Não foi uma forma agradável de não cometer suicídio. O lítio é usado para ensinar coiotes a parar de matar carneiros. Com freqüência, uma única experiência com a carcaça de um carneiro tratado com lítio deixa o coiote passando tão mal que ele prefere se refrear. Embora eu tivesse tomado um medicamento para me impedir de vomitar o lítio, eu ainda acabei mais enjoada do que um coiote, pior do que um cachorro, pior do que eu jamais poderia desejar que alguém se sentisse. Estive também entrando e saindo do coma durante alguns dias, o que, considerando-se as circunstâncias, talvez não tenha feito muita diferença.

Por muito tempo, tanto antes quanto depois de ter tentado me matar, estive sob os cuidados de um amigo meu, alguém que redefiniu para mim a noção de amizade. Ele era psiquiatra, além de homem carinhoso, extravagante e espirituoso cuja cabeça era como um sótão bagunçado. Ele se interessava por uma variedade de coisas absurdas, nas quais eu me incluía, e escrevia artigos fascinantes sobre tópicos como as psicoses induzidas pela noz-moscada e os hábitos pessoais de Sherlock Holmes. Era de uma lealdade extrema e passou noite após noite comigo, suportando de algum modo minhas crises coléricas. Foi generoso tanto com seu dinheiro quanto com seu tempo e acreditava com teimosia que eu conseguiria sair da depressão e voltaria a progredir.

Às vezes, depois de eu lhe dizer que simplesmente precisava ficar sozinha, ele me ligava mais tarde, à uma ou às duas da manhã, para ver como eu estava. Pela minha voz, ele conhecia meu estado e, apesar de eu implorar para que me deixasse em paz, ele insistia em vir à minha casa. Com freqüência, era com a desculpa de que não conseguia dormir. "Você não se recusaria a fazer companhia a um amigo, não é?" Sabendo muito bem que ele estava só querendo verificar como eu estava, eu respondia que sim. "Pode acreditar em mim. Eu posso me recusar. Deixe-me em paz. Estou de péssimo humor." Ele ligava de novo daí a alguns minutos, implorando. "Estou mesmo precisando de companhia. Podemos ir a algum lugar, tomar sorvete." E assim nos encontrávamos a alguma hora inacreditável. Eu sentia uma gratidão secreta e inexprimível, e ele de algum modo burilava a situação para que eu não tivesse a impressão de ser um peso enorme demais para ele. Foi um raro dom de amizade.

Por acaso, ele também trabalhava como médico no setor de emergência nos finais de semana. Depois da minha tentativa de suicídio, ele e meu psiquiatra elaboraram um plano para meu atendimento e supervisão médica. Meu amigo me mantinha sob constante vigilância, tirava meu sangue para examinar os níveis de lítio e de eletrólitos e fazia com que eu caminhasse repetidamente para me tirar do meu estado drogado, como alguém que força um tubarão doente a se movimentar no seu tanque para manter a água circulando por suas guelras. Ele foi a única pessoa que conheci que conseguia fazer com que eu risse durante meus momentos de verdadeira morbidez. Como meu marido, de quem eu estava separada legalmente mas com quem ainda mantinha contato freqüente, ele exercia sobre mim um efeito tranqüilizador, calmante, quando eu estava extremamente irritadiça, perturbada ou resolvida a perturbar. Ele cuidou de mim durante os dias mais terríveis da minha vida, e é a ele, lado a lado com o meu psiquiatra e minha família, que eu mais devo minha vida.

O que devo ao meu psiquiatra não é passível de descrição. Lembro-me de me sentar no seu consultório centenas de vezes durante aqueles meses sinistros, pensando a cada vez no que ele poderia me dizer que faria com que eu me sentisse melhor ou com que eu me mantivesse viva. Bem, nunca houve nada que ele pudesse dizer; isso é que é engraçado. Foram todas as expressões idiotas, desesperadamente otimistas, condescendentes que ele *não* disse que me mantiveram viva; toda a compaixão e carinho que eu sentia nele e que não poderiam ter sido postos em palavras; toda a inteligência, competência e tempo que ele dedicou ao meu atendimento; e sua fé inabalável em que a minha vida valia a pena ser vivida. Ele era terrivelmente franco, o que era de enorme importância, e se dispunha a admitir os limites da sua compreensão e dos tratamentos, bem como reconhecer quando estava errado. O que é mais difícil de expressar mas que, sob muitos aspectos, é a essência de tudo: ele me ensinou que a estrada de volta do suicídio para a vida é fria e cada vez fica mais fria, mas que – com um esforço inflexível, com a graça de Deus e uma inevitável mudança no tempo – eu conseguiria percorrê-la.

Também minha mãe foi maravilhosa. Ela preparou inúmeras refeições para mim durante minhas longas crises de depressão, ajudou na lavagem de roupas e colaborou para pagar minhas despesas médicas. Ela suportou minha irritabilidade e minhas fossas entediantemente áridas. Ela me levava ao médico, a farmácias e a fazer compras. Como uma delicada mãe-gata que apanha um filhote perdido pela nuca, ela mantinha seus olhos maravilhosamente maternais abertos e, se eu me debatia longe demais, ela me trazia de volta a uma faixa geográfica e emocional de segurança, alimento e proteção. Sua força formidável foi aos poucos se insinuando na minha medula depauperada. Essa força, associada à medicação para o cérebro e à extraordinária psicoterapia para a mente, fez com que eu superasse um dia impossivelmente difícil após o outro. Sem ela, eu jamais poderia ter sobrevivido. Houve épocas em que eu lutava para organizar uma aula e, sem a menor idéia se aquilo fazia sentido ou não, eu a proferia em meio ao tumulto e tremenda confusão que se fazia passar por minha mente. Muitas vezes, a única coisa que me dava forças era a crença, instilada por minha mãe anos antes, em que a vontade, a garra e a responsabilidade são em última análise o que nos torna supremamente humanos na nossa existência. A cada tempestade terrível que vinha na minha direção, minha mãe – com seu amor e seu firme sentido de valores – me fornecia ventos poderosos e constantes para enfrentá-la.

 As complexidades daquilo que nos cabe na vida são vastas e fora do alcance da nossa compreensão. Era como se meu pai me houvesse dado, por temperamento, um cavalo insuportavelmente selvagem, indomado e sinistro. Era um cavalo sem nome e sem nenhuma experiência de um freio entre os dentes. Minha mãe ensinou-me a amansá-lo; deu-me a disciplina e o amor para domá-lo; e – como Alexandre soube com tanta intuição lidar com Bucéfalo – ela entendia, e me ensinou, que o melhor meio de se lidar com o animal consistia em virá-lo na direção do sol.

Tanto minhas manias quanto minhas depressões tinham seus lados violentos. A violência, especialmente quando se é mulher, não é algo de que se fale sem constrangimento. Ficar loucamente descontrolada – agressiva em termos físicos, dando berros insanos a plenos pulmões, correndo freneticamente sem nenhum objetivo ou limite ou tentando impulsivamente se jogar de automóveis – é assustador para os outros e indescritivelmente apavorante para a própria pessoa. Em fúrias maníacas e cegas, fiz tudo isso, numa ocasião ou outra, ou algumas delas repetidamente. Mantenho a consciência penetrante e dolorosa de como é difícil controlar ou compreender esses comportamentos, para não falar em explicá-los para os outros. Em meus ataques psicóticos, semelhantes a transes – minhas manias tétricas, agitadas, – destruí coisas que apreciava, levei aos últimos limites pessoas que amo e sobrevivi para considerar que nunca poderia me recuperar da vergonha. Já fui contida fisicamente pela força bruta, terrível; já me chutaram e jogaram ao chão; já me deitaram de bruços com as mãos presas nas costas; e já recebi fortes doses de medicação contra minha vontade.

Não sei como me recuperei de ter agido da forma que tornou necessários procedimentos desse tipo, exatamente como não sei como e por que meus relacionamentos com amigos e namorados sobreviveram ao atrito destrutivo de uma energia tão atroz, feroz e prejudicial. As conseqüências de uma violência dessa natureza, como as conseqüências de uma tentativa de suicídio, atingem profundamente todos os envolvidos. E, como no caso da tentativa de suicídio, conviver com a consciência de que se foi violento obriga a uma difícil reconciliação de noções totalmente divergentes que a pessoa tem de si mesma. Depois da minha tentativa de suicídio, precisei reconciliar minha imagem de mim mesma como uma garota que havia sido cheia de entusiasmo, grandes esperanças, altas expectativas, enorme energia, sonhos e amor pela vida, com a imagem de uma mulher lúgubre, complicada, dolorida, que desejava desesperadamente apenas a morte e que tomou uma dose letal de lítio para realizar esse desejo. Depois de cada um dos meus episódios psicóticos violentos, eu tinha de tentar reconciliar minha noção de mim mesma como uma pessoa altamente disciplinada e de fala razoavelmente mansa, que geralmente era sensível aos sentimentos e ao estado de espírito dos outros, com a de uma mulher furiosa, totalmente louca e desbocada que não tinha acesso a nenhum controle ou razão.

Essas discrepâncias entre o que se é, o que se foi criado para acreditar ser o comportamento correto para com os outros, e o que de fato acontece durante essas terríveis manias sinistras, ou estados mistos, são absolutas e perturbadoras de um modo indescritível – especialmente, creio eu, para uma mulher criada num universo altamente tradicional e conservador. Elas parecem extremamente distanciadas da elegância e delicadeza da minha mãe, e ainda mais das tranqüilas épocas dos cotilhões, dos tafetás e sedas, além das luvas elegantes que iam até o cotovelo e tinham botões de pérola no pulso, quando ninguém tinha outras preocupações a não ser certificar-se de que as costuras das meias estavam retas antes de entrar para o jantar de domingo à noite no Clube dos Oficiais.

Durante os anos mais importantes e formadores da minha vida, fui criada num mundo puritano, ensinada a ter consideração com os outros, a ser circunspecta e contida nos meus atos. A família inteira ia à igreja todos os domingos, e todas as minhas respostas a adultos terminavam com "senhora" ou "senhor". A independência estimulada pelos meus pais havia sido de uma natureza intelectual, não de perturbação social. E então, de repente, tornei-me irracional e destrutiva de uma forma imprevisível e incontrolável. Não se tratava de nada que pudesse ser controlado pelo protocolo ou pela etiqueta. Visivelmente, Deus não estava em parte alguma. O cotilhão naval, o serviço voluntário no hospital, e o livro de etiqueta à mesa para adolescentes não podiam ser, nem jamais haviam pretendido ser, uma preparação para a loucura ou antagonistas à sua altura. A violência e a raiva incontrolável ficam terrível e irreconciliavelmente afastadas de um universo civilizado e previsível.

Desde minhas lembranças mais remotas, eu sentia uma tendência na direção de sentimentos fortes e exuberantes, de amar e viver com o que Delmore Schwartz chamou de "garganta da exaltação". A irritabilidade, porém, sempre estava do outro lado da exaltação. Essas disposições impetuosas, pelo menos de início, não eram de todo más. Além de emprestar uma certa turbulência romântica à minha vida pessoal, ao longo dos anos elas haviam acrescentado muito de positivo à minha vida profissional. Sem dúvida, elas haviam dado a fagulha inicial e levado adiante grande parte dos meus escritos, da minha pesquisa e do trabalho de conscientização do público. Elas me haviam impulsionado a procurar deixar minha marca. Elas me deixavam impaciente com a vida como era e ansiosa por mais. No entanto, sempre havia um constrangimento prolongado quando a impaciência, o ardor ou a inquietação transbordavam como um excesso de raiva. Não parecia combinar com o tipo de mulher delicada e bem-educada que eu havia sido criada para admirar e que, de fato, continuo a admirar.

De algum modo, a depressão está muito mais em consonância com as idéias da sociedade sobre o que é ser mulher: passiva, sensível, inútil, desamparada, abatida, dependente, confusa, bastante cansativa e com aspirações limitadas. Os estados maníacos, por outro lado, parecem estar mais no campo dos homens: irrequietos, fogosos, agressivos, instáveis, enérgicos, que se dispõem a assumir riscos, grandiosos, visionários e impacientes com o *status quo*. Em circunstâncias semelhantes, a raiva ou a irritabilidade nos homens é mais tolerada e compreensível. Concede-se a quem lidera ou empreende grandes viagens uma latitude maior para ser temperamental. Os jornalistas e outros escritores, de modo bastante compreensível, costumaram concentrar a atenção nas mulheres e na depressão; em vez de nas mulheres e na mania. Não é de surpreender: a depressão é duas vezes mais comum nas mulheres. No entanto, a doença maníaco-depressiva ocorre com igual freqüência nas mulheres e nos homens e, por ser uma enfermidade relativamente comum, a mania acaba afetando um grande número de mulheres. Elas, por sua vez, costumam receber diagnósticos equivocados, tratamento psiquiátrico falho, se é que recebem algum, e correm um risco muito maior de suicídio, alcoolismo, abuso de drogas e violência. Contudo, como os homens que sofrem da doença maníaco-depressiva, elas também costumam contribuir com muita energia, animação, entusiasmo e imaginação para as pessoas e o mundo ao seu redor.

O transtorno maníaco-depressivo é uma doença que tanto mata quanto dá a vida. O fogo, por sua natureza, tanto cria quanto destrói. "A força que pelo rastilho verde gera a flor", escreveu Dylan Thomas, "impele minha inocência; o que faz murchar as raízes das árvores/ É meu destruidor." A mania é uma estranha força propulsora, uma destruidora, um fogo no sangue. Felizmente, ter fogo no sangue não deixa de ter suas vantagens no universo da medicina acadêmica, especialmente quando se procura a efetivação.

A Efetivação

A efetivação é o que há de mais parecido com um esporte sangrento que uma universidade de primeira linha possa oferecer. É uma luta extremamente competitiva, exaustiva, estimulante, veloz, bastante brutal e muito masculina. Candidatar-se à efetivação numa faculdade de medicina – onde as responsabilidades clínicas são acrescentadas às responsabilidades normais de pesquisa e ensino – dificulta tudo em alguns níveis de magnitude. Considerando-se todos os aspectos, ser mulher, não ser médica e ser maníaco-depressiva não eram os melhores atributos para entrar na estrada notoriamente difícil da obtenção da efetivação.

A efetivação não era apenas uma questão de segurança acadêmica e financeira para mim. Meses depois de começar como professora-assistente, eu havia tido meu primeiro episódio de mania psicótica. Os anos que decorreram até eu conseguir a efetivação, de 1974 a 1981, compreenderam mais do que as dificuldades normais da competição no mundo extremamente enérgico e agressivo da medicina acadêmica. O mais importante é que eles foram marcados por lutas para me manter sã, para me manter viva e para entrar num entendimento com minha doença. À medida que os anos foram passando, fui me tornando cada vez mais determinada a extrair algo de bom de toda aquela dor, a tentar dar alguma utilidade à minha doença. A efetivação passou a ser um tempo tanto de possibilidade quanto de transformação. Ela também se tornou um símbolo da estabilidade pela qual eu ansiava e o reconhecimento definitivo que eu procurava por ter competido e sobrevivido no mundo normal.

Depois que fui designada para o serviço de adultos internados para minhas primeiras responsabilidades clínicas e docentes, logo fiquei inquieta, isso para não falar na dificuldade cada vez maior para manter o rosto impassível enquanto interpretava os resultados de testes psicológicos de pacientes da enfermaria. Procurar dar sentido a testes de Rorschach, o que parecia num bom dia um risco especulativo, com freqüência fazia com que eu me sentisse como se estivesse lendo o tarô ou debatendo o alinhamento dos planetas. Não era para isso que eu havia feito meu doutorado, e eu estava começando a entender os versos de Bob Dylan "Vinte anos estudando, e eles põem você no turno do dia". Só que eram vinte e três anos, e eu ainda pegava uma boa quantidade de turnos da noite. Meus interesses intelectuais eram amplos e absurdamente dispersos durante meus primeiros anos como docente. Entre outras coisas, eu estava dando início a um projeto de pesquisa sobre hiraces, elefantes e a violência (um resquício da recepção ao ar livre oferecida pelo reitor); redigindo conclusões a partir de estudos com LSD, maconha e narcóticos que eu realizara já na graduação; contemplando um estudo, a ser feito com meu irmão, que examinaria o aspecto econômico do comportamento de construção de diques por parte dos castores; conduzindo pesquisas sobre a dor e estudos sobre a síndrome do seio-fantasma com meus colegas do departamento de anestesiologia; trabalhando como co-autora de um manual sobre psicopatologia para o nível de graduação; atuando como co-investigadora num estudo sobre os efeitos da maconha na náusea e vômitos de pacientes com câncer submetidos a quimioterapia; e procurando descobrir uma forma legítima para fazer estudos do comportamento animal no zoológico de Los Angeles. Era atividade demais, e difusa em excesso. Meus interesses pessoais acabaram por me forçar a focalizar minha atenção no que eu estava fazendo e por quê. Aos poucos fui reduzindo meu trabalho ao estudo e tratamento dos transtornos do humor.

De modo mais específico, e nada surpreendente, interessei-me particularmente pela doença maníaco-depressiva. Eu sentia uma determinação absoluta e obstinada a influir no modo pelo qual a doença era vista e tratada. Dois dos meus colegas, ambos com muita experiência clínica e de pesquisa com os transtornos do humor, e eu resolvemos instalar uma clínica ambulatorial na UCLA que se especializaria no diagnóstico e tratamento da depressão e da doença maníaco-depressiva. Recebemos do hospital recursos iniciais suficientes para permitir que contratássemos uma enfermeira e comprássemos armários para arquivos. O diretor médico e eu passamos semanas desenvolvendo formulários para diagnóstico e para pesquisa, e depois elaboramos um programa de ensino que entraria na grade de rodízio ou serviria como treinamento em serviço para os residentes do 3º ano de psiquiatria e para os internos de psicologia no nível de pré-doutorado. Embora houvesse alguma oposição ao fato de eu, não sendo médica, dirigir um ambulatório médico, a maioria da equipe me deu apoio, especialmente o diretor médico do ambulatório, o diretor do departamento de psiquiatria e o chefe da equipe do Instituto de Neuropsiquiatria.

Em poucos anos, a Clínica de Transtornos Afetivos da UCLA já se tornara uma grande instituição de ensino e pesquisa. Nós avaliamos e tratamos milhares de pacientes com transtornos do humor, realizamos grande quantidade de estudos de pesquisa tanto médica quanto psicológica, e ensinamos os residentes de psiquiatria e os internos de psicologia clínica a diagnosticar e cuidar de pacientes com transtornos do humor. A clínica tornou-se uma opção popular para formação. Era um rodízio repleto de crises e emergências, movimentado e dado a correrias, em decorrência da natureza e da gravidade das doenças sendo tratadas, mas era também em geral um lugar aconchegante e risonho. O diretor médico e eu encorajávamos não só o trabalho árduo e os expedientes prolongados, mas também as atividades festivas depois do expediente. O estresse de cuidar de pacientes suicidas, psicóticos e potencialmente violentos era considerável para todos nós, mas procurávamos respaldar a responsabilidade clínica dos internos e dos residentes com o máximo possível de supervisão. Quando acabava acontecendo a catástrofe relativamente rara – por exemplo, um jovem advogado extremamente brilhante que repeliu todos os esforços para que se internasse e depois cometeu suicídio com um tiro na cabeça – os professores, os residentes e os internos se reuniam, em grupos de tamanhos variados, a fim de procurar entender o que havia acontecido e dar apoio não só aos membros arrasados da família, mas também aos indivíduos que haviam assumido a responsabilidade clínica principal. No caso particular do advogado, a residente havia feito tudo que qualquer um poderia esperar que ela fizesse. Não surpreendeu que ficasse tão abalada com sua morte. Por ironia, geralmente são os médicos mais competentes e conscienciosos os que mais sentem o fracasso e a dor.

Dávamos grande ênfase ao uso combinado de medicações e psicoterapia, em vez do uso exclusivo de medicações, e salientávamos a importância da informação sobre as doenças e seus tratamentos aos pacientes e suas famílias. Minha própria experiência como paciente me havia proporcionado uma consciência especial de como a psicoterapia podia ser crucial para extrair algum sentido de toda a dor; de como ela podia manter o paciente vivo por tempo suficiente para ter a oportunidade de ficar bom; e de como podia ajudar o paciente a aprender a comparar o ressentimento por ter de tomar a medicação com as terríveis conseqüências de não tomá-la. Além do ensino básico de diagnóstico diferencial, de psicofarmacologia e outros aspectos da abordagem clínica dos transtornos do humor, grande parte do ensino, da prática clínica e da pesquisa girava em torno de alguns temas centrais: por que os pacientes oferecem resistência ou se recusam a tomar o lítio e outros medicamentos; estados clínicos mais propensos a resultar em suicídio e como controlá-los; o papel da psicoterapia nas conseqüências a longo prazo da depressão e da doença maníaco-depressiva; e os aspectos positivos da doença que podem vir à tona nos estados maníacos mais brandos: aumento da energia e da consciência perceptiva, maior fluidez e originalidade de pensamento, intensa animação na disposição de ânimo e nas experiências, aumento do desejo sexual, ampliação da imaginação e extensão da abrangência das aspirações. Procurei estimular nossos médicos a ver que essa era uma doença que podia proporcionar vantagens assim como desvantagens, e que para muitos indivíduos essas experiências emocionantes provocavam forte dependência, e era difícil renunciar a elas.

Com o objetivo de dar aos residentes e internos alguma noção das experiências que os pacientes vivenciam quando maníacos e deprimidos, nós os incentivávamos a ler relatos pessoais de pacientes e escritores que haviam sofrido transtornos do humor. Também comecei a dar ao pessoal residente e interno seminários de fim de ano que enfocavam peças musicais de autoria de compositores que haviam sofrido depressões graves ou tido a doença maníaco-depressiva. Essas aulas informais tornaram-se a base para um concerto que um amigo meu, professor de música na UCLA, e eu produzimos em seguida, em 1985, com a Filarmônica de Los Angeles. Num esforço para despertar a consciência do público para a doença mental, especialmente para a doença maníaco-depressiva, propusemos ao diretor executivo da Filarmônica um programa baseado na vida e na música de alguns compositores que sofreram desse distúrbio, entre os quais incluí Robert Schumann, Hector Berlioz e Hugo Wolf. A Filarmônica demonstrou entusiasmo, vontade de cooperar e generosidade na negociação do cachê. Infelizmente, alguns dias depois de eu ter assinado o contrato, a Universidade da Califórnia anunciou que estava começando uma grande campanha de desenvolvimento financeiro e que membros do corpo docente não poderiam mais angariar fundos de doadores particulares. Fiquei com uma conta pessoal de 25.000 dólares, o que, como salientou um dos meus amigos, era muito dinheiro em entradas para um concerto. Mesmo assim, o concerto lotou o enorme Royce Hall da UCLA e foi um grande sucesso. Ele também acabou sendo o primeiro de uma série de concertos realizados no país inteiro, entre os quais se incluiu um que fizemos alguns anos depois com a Orquestra Sinfônica Nacional no Centro John F. Kennedy para as Artes de Espetáculo em Washington, D.C. Ele foi também a base para o primeiro de uma série de especiais da televisão pública que produzimos em torno do tema da doença maníaco-depressiva e das artes.

 Durante a instalação e o funcionamento do ambulatório, tive a felicidade de contar com o apoio do diretor do meu departamento. Ele defendeu minha nomeação para dirigir um ambulatório médico apesar do fato de eu não ser médica e apesar de saber que eu tinha a doença maníaco-depressiva. Em vez de usar minha doença como motivo para restringir minhas responsabilidades clínicas e de ensino, ele – depois de se certificar de que eu estava recebendo bom atendimento psiquiátrico e de que o diretor médico do ambulatório tinha conhecimento do meu distúrbio – me estimulou a usá-la para tentar desenvolver tratamentos melhores e ajudar a mudar as atitudes públicas. Embora ele nunca mencionasse isso, suponho que meu diretor tenha descoberto minha doença depois do meu primeiro episódio grave de mania psicótica; meu chefe de enfermaria sem dúvida soube, e imagino que a informação tenha rapidamente alcançado os escalões superiores. Fosse como fosse, meu diretor tratou o assunto como algo de natureza estritamente médica. Ele o mencionou pela primeira vez, aproximando-se de mim numa reunião, com um abraço, e me dizendo que sabia que eu tinha problemas de instabilidade de humor. "Lamento. Pelo amor de Deus, não deixe de tomar seu lítio." Eventualmente, depois daquela ocasião, ele me perguntava como eu estava e se certificava de que eu ainda estava tomando a medicação. Ele foi franco, solidário e nunca sugeriu por um momento que fosse que eu interrompesse ou restringisse meu trabalho clínico.

Eram enormes, porém, minhas preocupações quanto a debater minha doença com outras pessoas. Meu primeiro episódio psicótico ocorreu muito antes de eu receber minha licença do Conselho de Examinadores Médicos da Califórnia. Durante o período entre o início do tratamento com o lítio e o resultado positivo nos exames orais e escritos do conselho, observei que a muitos estudantes de medicina, internos de psicologia clínica e residentes era negada a permissão de continuar seus estudos em decorrência de doenças psiquiátricas. Hoje em dia, isso ocorre com freqüência muito menor. Na realidade, a maioria dos cursos de pós-graduação e escolas de medicina estimula alunos que adoecem a procurar tratamento e, se possível, voltar ao trabalho clínico. Já meus primeiros anos no corpo docente da UCLA foram atormentados por medos de que meu problema fosse descoberto, de que eu fosse denunciada a um tipo ou outro de hospital ou conselho e que exigissem minha renúncia ao ensino e à prática clínica.

Sob muitos aspectos, era uma existência sujeita a altas pressões, mas no geral eu a adorava. A medicina acadêmica proporciona um estilo de vida interessante e variado, muitas viagens; e a maioria dos nossos colegas tem vivacidade, energia e geralmente se dá bem com os estresses de ter de combinar a prática clínica com o ensino e a publicação de trabalhos. Esses estresses eram agravados pelas flutuações de humor que eu continuava a ter, embora atenuadas, enquanto tomava o lítio. Passaram-se alguns anos até que elas fossem realmente controladas. Para mim, quando eu estava bem, havia uma oportunidade ilimitada para escrever, pensar, atender pacientes e ensinar. Quando eu estava doente, tudo era simplesmente avassalador. Por dias e semanas a fio, eu costumava pôr na minha porta um aviso para não ser perturbada, ficava olhando esquecida pela janela, dormia, pensava em suicídio ou observava meu porquinho-da-índia – lembrança de uma das minhas compras maníacas – em furiosa correria na sua gaiola. Durante esses períodos, eu não conseguia imaginar que escreveria mais um trabalho e era incapaz de compreender qualquer dos artigos especializados que tentava ler. A supervisão e o ensino eram torturas.

No entanto, era uma existência cíclica. Quando eu estava deprimida, nada me ocorria, e eu nada produzia. Quando maníaca, ou em mania branda, eu redigia um trabalho num dia, as idéias fluíam, eu projetava novos estudos, punha em dia minha correspondência e as fichas dos meus pacientes e ia derrubando aos poucos os monturos irracionais de papelada burocrática que definiam a função de diretora do ambulatório. Como em todos os outros aspectos da vida, o lado sombrio geralmente era compensado pelo grandioso; o grandioso, por sua vez, voltava a ser anulado pelo sombrio. Era uma vida intensa porém cheia de voltas: maravilhosa, medonha, terrível, indescritivelmente difícil, gloriosa e inesperadamente fácil, complicada, divertidíssima e um pesadelo sem saída.

Meus amigos, felizmente, ou eram um pouco amalucados também, ou tinham uma tolerância notável com o caos que formava o núcleo básico da minha existência emocional. Passei muito tempo com eles durante aqueles anos em que fui professora-assistente. Também viajei com freqüência, a trabalho e por prazer, e joguei *squash* com internos, amigos e colegas. O esporte, no entanto, só me divertia até certo ponto porque o lítio prejudicava minha coordenação. Isso não se aplicava apenas ao *squash*, mas especialmente à equitação. Eu acabei tendo de parar de montar durante alguns anos, depois de ter caído pela enésima vez enquanto saltava. Agora posso examinar o passado e pensar que talvez não tenha sido assim tão ruim, mas na realidade, a cada vez que eu precisava renunciar a um esporte, eu tinha de renunciar não só à diversão daquele esporte, mas também àquela parte de mim mesma que eu havia conhecido como atleta. A doença maníaco-depressiva força a pessoa a lidar com muitos aspectos do envelhecimento – com seu enfraquecimento físico e mental – muitas décadas antes da própria idade.

A vida na faixa de alta velocidade, o arrojo e a disputa pela efetivação e pelo reconhecimento por parte dos colegas continuavam num ritmo frenético. Quando eu estava maníaca, o ritmo parecia lento; quando estava normal, o frenético era aceitável; quando estava deprimida, o ritmo era impossível. Além do meu psiquiatra, não havia mais ninguém com quem eu pudesse conversar sobre a real amplitude das dificuldades que eu estava enfrentando. Ou talvez houvesse, mas nunca me ocorreu a idéia de tentar. Praticamente não havia mais nenhuma mulher na divisão de psiquiatria de adultos; as mulheres que pertenciam ao departamento estavam todas amontoadas na psiquiatria infantil. Elas não representavam nenhuma proteção contra as raposas sorrateiras e, além do mais, já tinham sua cota de raposas no seu próprio setor. Embora a maioria dos meus colegas do sexo masculino fosse imparcial, e muitos fossem de uma solidariedade excepcional, havia alguns homens cujas opiniões sobre as mulheres eram de um tipo que se precisava ver para crer.

O Ostra era um deles, uma experiência desse tipo. Tendo recebido esse nome por ser em essência liso e escorregadio, o Ostra era um professor mais antigo: tinha ares de superioridade condescendente, era presunçoso e, como seria de esperar, tinha toda a complexidade intelectual e emocional de um pequeno molusco. Via as mulheres em termos do corpo, não da cabeça; e sempre pareceu irritá-lo o fato de a maioria das mulheres ter os dois. Também considerava que as mulheres que acabavam extraviadas no campo da medicina acadêmica tinham algum defeito básico; e, como eu tinha uma aversão especial a demonstrações de deferência, parecia que eu o irritava excepcionalmente. Nós participamos juntos da Comissão de Nomeações e Promoções do departamento, na qual eu era a única mulher entre dezoito membros. Nas ocasiões em que ele de fato comparecia às reuniões – o Ostra era célebre por ganhar o máximo pelo mínimo de tempo passado no hospital – eu costumava me sentar bem à sua frente à mesa e observar suas vãs tentativas para ser infalivelmente educado.

Sempre tive a sensação de que ele me considerava uma espécie de mutante mas, como não era de todo horrorosa, eu ainda poderia ser salva por um bom casamento. Eu, por mim, costumava parabenizá-lo aleatoriamente pelos seus esforços no sentido de contratar mais mulheres para o departamento. Sua carência de massa cinzenta estava à altura da sua falta de espirituosidade; e, como de fato ele nunca havia feito absolutamente nenhum esforço nesse sentido, ele lançava um olhar de suspeita na minha direção e depois dava um sorriso desconcertado, irritado. Ele teria sido um pateta simpático se não detivesse poder real no departamento e não explicitasse sua opinião sobre as mulheres a cada passo que dava. Suas insinuações de ordem sexual eram profundamente ofensivas, e seu nível de condescendência, quando falava comigo ou com mulheres residentes e internas, era de enfurecer. Ele era uma caricatura de si mesmo, sob muitos aspectos, mas ficava claro que ser mulher e trabalhar sob sua orientação significava começar uma corrida de cem metros com dez segundos de atraso. Felizmente, o processo de efetivação dispõe de muitos critérios e mecanismos; e, pelo menos nas duas universidades que conheço melhor – a da Califórnia e a Johns Hopkins – o sistema parece ser extraordinariamente justo. Entidades como o Ostra, no entanto, não facilitavam as coisas.

Afinal, depois de muito esforço durante o qual me senti como um roedor no labirinto da efetivação, recebi minha carta do conselho da universidade com a notificação de que eu havia sido promovida para o próximo conjunto de labirintos acadêmicos: o modelo da persistência, o terreno infernal em que se situam os professores-adjuntos. Passei semanas comemorando. Uma das minhas melhores amigas ofereceu um lindo jantar para umas trinta pessoas numa perfeita noite da Califórnia. Os patamares no seu jardim estavam cheios de flores e velas. Não poderia ter sido mais bonito. Minha família forneceu o champanhe, além do seu presente para mim de taças de Baccarat para servi-lo, e eu adorei a festa. Mais do que qualquer outra pessoa, minha família e meus amigos sabiam que a festa pela efetivação era tanto uma comemoração pelos anos de luta contra a doença mental grave quanto uma comemoração do importante rito de passagem na vida acadêmica.

Eu, porém, só me imbuí realmente da idéia da efetivação quando um dos meus colegas, membro do Bohemian Club, exclusivamente masculino, veio à minha casa trazendo vinho do seu clube. "Parabéns, professora", disse ele, entregando-me a garrafa. "Seja bem-vinda a um clube só de homens."

Terceira Parte

ESSE REMÉDIO, O AMOR

Um Oficial de Classe

Houve uma época em que eu francamente acreditava que havia apenas uma quantidade determinada de dor que uma pessoa devesse sofrer na vida. Como a doença maníaco-depressiva trouxera consigo tanta aflição e incerteza, eu supunha que a vida deveria, portanto, ser mais generosa comigo sob aspectos diferentes, mais compensadores. A verdade é que eu também havia acreditado que poderia atravessar em vôo as galáxias e deslizar pelos anéis de Saturno. Talvez meu bom-senso deixasse um pouco a desejar. Robert Lowell, freqüentemente doido mas raramente estúpido, sabia que era melhor não partir do pressuposto de uma linha direta com a felicidade. Quando se vê uma luz no fim do túnel, disse ele, é a luz de um trem que vem vindo.

Por algum tempo – graças ao lítio, à passagem do tempo e ao amor de um inglês alto e bonito – tive um vislumbre do que imaginei ser a luz no fim do túnel e, por mais esquiva que fosse a sensação, pude sentir o que me pareceu ser o retorno de uma existência segura e aconchegante. Descobri como é maravilhosa a cura da mente, se pelo menos lhe dermos uma chance, e como a paciência e a delicadeza podem voltar a reunir os pedaços de um universo horrivelmente estilhaçado. O que Deus havia separado, um sal elementar, um psiquiatra de primeira linha e o amor e generosidade de um homem quase conseguiram consertar.

Conheci David no meu primeiro ano no corpo docente da UCLA. Era o primeiro semestre de 1975, seis meses depois de eu ter ficado louca de pedra, e meu cérebro aos poucos ia se reestruturando numa versão bastante frágil, mas vagamente coerente, do seu eu anterior. Minha cabeça estava patinando em gelo fino; minhas emoções, totalmente desgastadas; e a maior parte da minha existência real estava sendo vivida dentro dos limites estreitos de sombras interiores muito alongadas. No entanto, meus atos se situavam dentro dos parâmetros conservadores dos meus colegas ditos normais e por isso, pelo menos em termos profissionais, tudo tinha a aparência de estar bem.

Naquele dia específico, eu havia aberto a porta da enfermaria de pacientes internados com minha costumeira sensação de irritação – não por causa dos pacientes, mas por que estava marcada uma reunião da equipe, o que queria dizer que as enfermeiras dariam vazão ao seu mau humor coletivo contra os residentes de psiquiatria, que, por sua vez, demonstrariam uma segurança irritante devido ao fato de saberem que detinham a autoridade final além de diplomas de níveis superiores. O chefe da enfermaria, que era irremediavelmente inútil, costumava permitir que os ressentimentos, invejas e animosidades pessoais dominassem totalmente as reuniões. O atendimento ao paciente, naquela enfermaria específica, muitas vezes perdia a prioridade para neuroses da equipe, guerras de extermínio e comodismo. Tendo me atrasado ao máximo possível, entrei na sala de reuniões, procurei um lugar fora da linha de fogo e me sentei para ver como se desdobrariam os inevitáveis desentendimentos.

Para espanto meu, o psiquiatra da enfermaria chegou acompanhado de um homem muito alto e de bela aparência que olhou para mim e deu um sorriso maravilhoso. Ele era um professor visitante, um psiquiatra em licença do corpo médico do exército britânico, e nós gostamos um do outro de imediato. Naquela tarde, tomamos café juntos no refeitório do hospital, e eu descobri que estava me abrindo para ele de uma forma que já não me ocorria há muito tempo. Sua voz era suave; era calado e atencioso, e não forçava demais os limites da minha alma ainda em carne viva. Nós dois adorávamos música e poesia; tínhamos origens militares em comum; e, como eu havia estudado na Escócia e na Inglaterra, compartilhávamos experiências de cidades, hospitais e paisagens rurais. Ele estava interessado em aprender as diferenças entre as práticas psiquiátricas da Grã-Bretanha e dos Estados Unidos; e, por isso, convidei-o para uma consulta com uma das minhas pacientes mais difíceis, uma menina esquizofrênica que acreditava ser bruxa. Ele rapidamente destrinchou as questões médicas e psicoterapêuticas que haviam saído com tanta lentidão da sua mente assustada e reservada. Foi de um tato incrível com ela, sem deixar de lado um grande profissionalismo, e ela percebeu – como eu mais tarde – que podia implicitamente confiar nele. Seu estilo era simples, porém afetuoso, e eu gostei de vê-lo elaborar e reelaborar as perguntas com delicadeza de modo a conquistar-lhe a confiança e superar sua paranóia.

David e eu almoçamos juntos freqüentemente durante os meses em que ele passou na UCLA, muitas vezes no jardim botânico da universidade. Ele insistia em me convidar para jantar; e eu, com a mesma insistência, dizia que não podia porque ainda estava casada e de novo morando com meu marido após nossa separação inicial. Ele voltou para Londres e, embora nos correspondêssemos de vez em quando, eu estava mais ocupada com o ensino, a administração do ambulatório, o esforço pela efetivação, problemas no meu casamento, mais uma grave crise de mania que, como a noite após o dia, veio seguida de uma depressão longa, absolutamente paralisante.

Meu marido e eu, apesar de continuarmos bons amigos e de nos vermos com freqüência, afinal concluímos que nosso casamento já não tinha mais conserto. Creio que a relação nunca mais teve uma verdadeira chance depois que eu o deixei impulsivamente durante meu primeiro episódio maníaco. No entanto, nós dois tentamos. Conversamos muito e debatemos nossos erros e possibilidades durante muitas refeições regadas a muitos copos de vinho. Havia muita boa-vontade e carinho, mas nada conseguiu refazer nosso casamento depois de tudo que aconteceu em conseqüência da minha doença. Em algum ponto no meio disso tudo, escrevi para David dizendo que estava separada de novo e em definitivo do meu marido. A vida prosseguia, num turbilhão de reuniões do ambulatório, elaboração de trabalhos, consultas a pacientes e aulas a residentes, internos e alunos da pós-graduação. Eu vivia apavorada, com medo de que alguém descobrisse a gravidade da minha doença, como eu ainda estava frágil, mas – felizmente, embora seja estranho – a sensibilidade e a observação aguçada nem sempre são o forte dos psiquiatras acadêmicos.

Um dia, então, mais de um ano e meio depois de ele ter deixado a UCLA, voltei para meu escritório e encontrei David sentado na minha cadeira, brincando com um lápis, com um sorriso largo. Quase rindo, ele disse: "Sem dúvida, você agora vai jantar comigo. Esperei muito tempo e vim de muito longe." Claro que fui, e nós passamos alguns dias maravilhosos em Los Angeles antes que ele voltasse para a Inglaterra. Ele me convidou para ir passar umas semanas em Londres. Embora eu estivesse me recuperando de uma longa depressão suicida, meus pensamentos fossem tão hesitantes e meus sentimentos tão desolados que eu mal podia suportar a situação, de algum modo eu soube que tudo melhoraria se eu estivesse com ele. E melhorou. Imensamente. Dávamos longos passeios ao anoitecer no St. James's Park naquele final de primavera, jantávamos no seu clube com vista para o Tâmisa e fazíamos piqueniques no Hyde Park, que ficava bem do outro lado da rua do seu apartamento. Aos poucos, a exaustão, a cautela e a incredulidade sombria foram se dissipando. Voltei a gostar de música e de quadros, voltei a rir, a escrever poesia. Longas noites e madrugadas de paixão incrível fizeram com que eu novamente acreditasse no quanto uma sensação de vida é importante para o amor, e o amor para a vida, ou que me lembrasse disso.

David trabalhava no hospital durante o dia, e eu voltei a me envolver com a Londres que antes tanto me interessava. Dava longos passeios pelos parques, visitava e revisitava a Tate, perambulava sem destino pelo Victoria and Albert, bem como pelo Museu de Ciência e História Natural. Um dia, por sugestão de David, peguei o barco que faz a viagem de ida e volta do píer de Westminster até Greenwich; outro dia, peguei o trem até Canterbury. Fazia anos que não ia a Canterbury, e só havia visto a cidade com olhos bastante maníacos, embora de modo inesquecível. Tinha lembranças místicas, duradouras, dos vitrais escuros esplêndidos, dos sons arrefecidos, do local simples e sinistro do assassinato de Becket, dos desenhos veementes e transitórios da luz no piso da catedral. Dessa vez, porém, ajoelhei-me sem êxtase, orei sem devoção e me senti uma intrusa. Ainda assim, o que tive foi uma noção mais tranqüila e suave de Canterbury.

Enquanto estava ajoelhada, sem fé, lembrei-me de repente de ter esquecido de tomar o lítio na noite anterior. Enfiei a mão na bolsa à procura do remédio, abri o frasco e imediatamente deixei cair todos os comprimidos no piso da catedral. O chão estava imundo, havia gente ao meu redor, e fiquei constrangida demais para me abaixar e catar os comprimidos. Não foi um momento apenas de constrangimento, mas de decisão também. Significava que eu teria de pedir a David que fizesse uma receita para mim; e é claro que isso queria dizer que eu teria de lhe falar da minha doença. Não pude deixar de pensar, com uma boa dose de amargor, que Deus raramente abre uma porta sem fechar outra. Mesmo assim, eu não tinha condição de ficar sem o medicamento. Da última vez que havia parado com o lítio, fiquei maníaca quase imediatamente. Eu não podia sobreviver a mais um ano como o último que acabava de passar.

Naquela noite, antes de irmos dormir, falei com David sobre minha doença maníaco-depressiva. Eu temia sua reação e sentia raiva de mim mesma por não lhe ter contado antes. Ele ficou calado por um bom tempo, e eu pude ver que ele estava calculando todas as implicações, médicas e pessoais, do que eu acabava de dizer. Eu não tinha a menor dúvida de que ele me amava, mas ele sabia tanto quanto eu como era problemático o curso que a doença podia seguir. Ele era um oficial do exército, sua família era extremamente conservadora, ele tinha uma vontade louca de ter filhos, e a doença maníaco-depressiva era hereditária. Ela era também algo de que não se falava. Era imprevisível, e não era raro que fosse fatal. Desejei não ter contado nada. Desejei ser normal, desejei estar em qualquer outro lugar que não fosse ali. Tive a sensação de ser uma idiota por esperar que alguém pudesse aceitar o que eu acabava de dizer e me resignei a um procedimento sutil de despedidas educadas. Afinal de contas, não estávamos casados, nem havíamos tido um envolvimento sério por um tempo considerável.

Finalmente, passada uma eternidade, David voltou-se para mim, me abraçou e disse baixinho: "Que *azar*! É o que eu digo." O alívio me dominou. Fiquei também impressionada com a verdade absoluta do que ele acabava de dizer. Era *mesmo* um azar, e afinal alguém entendia isso. O tempo todo, em meio ao meu alívio, a pequena e destroçada ilha de humor que permanecia na minha cabeça registrava, numa faixa totalmente diferente do cérebro, que o jeito de falar de David parecia extraído direto de um romance de P. G. Wodehouse. Eu lhe disse isso e fiz com que se lembrasse do personagem de Wodehouse que se queixava de que embora fosse verdade que ele não estava descontente, ele também não estava de todo contente. Os dois rimos muito tempo, sem dúvida com certo nervosismo, mas parte daquele gelo horrível estava quebrada.

David não poderia ter sido mais gentil ou demonstrado maior aceitação. Ele me fez perguntas e mais perguntas sobre minhas experiências, o que havia sido mais terrível, o que me havia deixado mais apavorada e o que ele podia fazer para ajudar quando eu estivesse mal. De algum modo, depois daquela conversa, tudo ficou mais fácil para mim. Pela primeira vez, senti que não estava só na tarefa de lidar com toda a dor e a incerteza, e ficou claro para mim que ele queria genuinamente compreender minha doença e cuidar de mim. E começou naquela mesma noite. Eu lhe expliquei que, em virtude dos efeitos colaterais relativamente raros do lítio que afetavam tanto minha visão quanto minha concentração, eu basicamente não conseguia ler mais de um parágrafo ou dois de cada vez. Ele então lia para mim: lia poesia, Wilkie Collins, e Thomas Hardy, com um braço em volta de mim na cama, afagando meu cabelo de quando em quando, como se eu fosse uma criança. Aos poucos, com tato e paciência infinita, sua delicadeza – e sua confiança em mim, em quem eu era e na minha saúde essencial – afastou os medos apavorantes das imprevisíveis alterações de humor e da violência.

Deve ter ficado claro para David que eu não tinha esperanças de um dia voltar ao meu eu normal, porque, no seu estilo bem sistemático, ele se dispôs a me tranqüilizar. Na noite seguinte, quando chegou em casa, ele avisou que havia conseguido convites para jantar com dois altos oficiais do exército britânico, que sofriam da doença maníaco-depressiva. As noites que passamos com esses homens e suas mulheres foram inesquecíveis. Um deles, um general, era elegante, simpático e muito inteligente. Sua lucidez estava acima de qualquer cogitação. A não ser por uma eventual inquietude no olhar e um tom levemente melancólico embora compensado pelo sarcasmo na sua conversa, era impossível distingui-lo do pessoal animado, confiante e divertido que se encontra em jantares em Londres e em Oxford. O outro oficial também era encantador – simpático, espirituoso e, como o general, com um "terrível, terrível" sotaque da elite. Ele, também, tinha uma ocasional tristeza nos olhos mas era uma companhia fantástica e, ao longo dos anos, continuou a ser um bom amigo.

Em nenhum momento durante qualquer um dos jantares, foi mencionada a doença maníaco-depressiva. Na realidade, era a própria normalidade daquelas noites que era tão reconfortante e importante para mim. Apresentar-me a homens tão "normais", os dois de um mundo tão parecido com o que eu havia conhecido quando criança, foi um dos inúmeros gestos intuitivos de generosidade por parte de David. "É somente a história das nossas generosidades que torna este mundo tolerável", escreveu Robert Louis Stevenson. "Não fosse por isso, pelo efeito de palavras generosas, olhares generosos, cartas generosas... eu me sentiria inclinado a imaginar que nossa vida é uma peça que nos pregaram com o pior gosto possível." Depois de conhecer David, eu nunca mais encarei a vida com a perspectiva do pior gosto possível.

Deixei Londres com uma terrível sensação de apreensão, mas David escrevia e ligava com freqüência. No final do outono, passamos algum tempo juntos em Washington, e, como eu afinal estava me sentindo inteira de novo, apreciei a vida como não fazia há anos. Aqueles dias de novembro permanecem na minha lembrança como um turbilhão delicado embora intensamente romântico de longos passeios no frio, visitas a casas antigas e a igrejas ainda mais antigas; leves nevascas a cobrir os jardins do século XVIII de Annapolis; e rios enregelados abrindo caminho para sair pela Baía de Chesapeake e ultrapassá-la. As noites eram preenchidas com xerez seco e intermináveis conversas ao jantar, a respeito de praticamente tudo; mais tarde, com o amor maravilhoso e o sono tranqüilo, muito procurado e há muito ausente.

David voltou para Londres. Eu, para Los Angeles. Nós nos escrevíamos e nos falávamos com freqüência; sentíamos falta um do outro; e mergulhamos nas nossas respectivas vidas de trabalho. Voltei à Inglaterra em maio, e passamos duas semanas de dias longos e quentes, antes do verão, em Londres, Dorset e Devon. Numa manhã de domingo, depois da igreja, fomos caminhar nos montes para ouvir os repiques dos sinos, e eu percebi que David havia parado e estava imóvel, respirando com dificuldade. Ele fez uma piada sobre o excesso de exercício pesado durante a noite, os dois rimos, e ficou por isso mesmo.

David foi transferido para o Hospital do Exército Britânico em Hong-Kong, e fez planos para que eu fosse lá visitá-lo. Escreveu com detalhes sobre a programação noturna que havia organizado para nós, as pessoas que queria que eu conhecesse e os piqueniques que faríamos nas ilhas próximas. Eu mal podia esperar para voltar a estar com ele. Uma noite, porém, não muito antes da data em que eu deveria me reunir a ele, eu estava em casa escrevendo um capítulo para um manual quando alguém bateu à minha porta. Era uma hora estranha, eu não estava esperando ninguém e, por alguma razão ainda mais estranha, de repente me lembrei do que minha mãe dizia a respeito do pavor que as mulheres de pilotos tinham de que o capelão batesse à sua porta. Abri a porta, e era um correio diplomático com uma carta do oficial comandante de David, informando que David, que estivera em missão médica em Catmandu, havia morrido de um súbito ataque cardíaco fulminante. Ele estava com quarenta e quatro anos; e eu, com trinta e dois.

Não me dei conta de grande coisa. Lembro-me de ter sentado, de ter retomado o trabalho, escrito algum tempo e depois telefonado para minha mãe. Falei também com os pais de David e com seu oficial comandante. Mesmo quando estávamos falando sobre planos para o funeral, que foi significativamente atrasado porque o exército exigiu uma autópsia antes que o corpo de David pudesse ser trasladado para a Inglaterra, sua morte não me parecia de modo algum real. Cumpri todas as tarefas num estado de choque total – reservei o vôo, dei minha aula na manhã do dia seguinte, presidi a uma reunião da equipe do ambulatório, renovei meu passaporte, fiz as malas e reuni cuidadosamente todas as cartas de David para mim. Uma vez no avião, arrumei as cartas meticulosamente em ordem de acordo com a data em que haviam sido escritas. Resolvi, porém, esperar até chegar a Londres para fazer sua leitura. No dia seguinte, no Hyde Park, quando me sentei para ler, descobri que só conseguia chegar ao meio da primeira carta. Comecei a soluçar descontroladamente. Até hoje não reabri nem reli nenhuma das suas cartas.

Consegui descobrir como chegar até a Harrods para escolher um chapéu negro para a cerimônia fúnebre e depois fui almoçar com o oficial comandante de David no seu clube. Por sua função, ele era o psiquiatra-chefe do exército britânico; por temperamento, era gentil, direto e imensamente compreensivo. Estava acostumado a lidar com mulheres cujos maridos morreram de forma inesperada, conhecia à primeira vista o desespero da negação e compreendia nitidamente que eu nem ao menos havia começado a compreender a realidade da morte de David. Ele conversou muito tempo comigo sobre David, sobre os muitos anos durante os quais o conhecera e trabalhara com ele, e falou da pessoa e médico maravilhosos que ele havia sido. Também disse que achava que seria "terrivelmente difícil mas uma boa idéia" se ele lesse para mim partes do relatório da autópsia. Ostensivamente, essa leitura deveria me reafirmar que o ataque de David havia sido tão fulminante que nenhum tratamento ou intervenção médica poderia ter sido útil. Na realidade, estava claro que ele sabia que a frieza da linguagem médica iria me causar um choque para que eu começasse a lidar com o aspecto definitivo daquilo tudo. Sem dúvida ajudou, embora não fossem os medonhos detalhes médicos que me empurrassem para a realidade. Em vez disso, foi a declaração por parte do brigadeiro de que "um oficial jovem havia acompanhado o corpo do Coronel Laurie no avião da força aérea britânica de Hong-Kong até o campo de pouso de Brize Norton". David não era mais o Coronel Laurie; ele não era mais o Dr. Laurie; ele era um corpo.

O exército britânico foi de uma gentileza incrível comigo. Por definição, o exército está acostumado à morte, especialmente a morte súbita, e grande parte do que consola vem das suas tradições. Os rituais dos funerais militares são em si mesmos previsíveis, reconfortantes, nobres, religiosos e terrivelmente finais. Os amigos e companheiros de David foram francos, espirituosos, informais e profundamente solidários. Eles deixaram clara a expectativa de que eu saberia lidar com a situação, mas também fizeram todos os esforços concebíveis para tornar mais suportável o que já era terrível. Nunca me deixaram sozinha, mas não me sufocaram; não paravam de me servir xerez e uísque; ofereceram ajuda jurídica. Com freqüência, franqueza e humor, eles falavam de David. Não deixavam muito espaço para a negação.

Durante o próprio funeral, o brigadeiro insistiu comigo para que cantasse os hinos, apoiou-me com seu braço nos momentos mais difíceis e riu alto quando eu lhe disse baixinho, durante um elogio algo exagerado a respeito de oficiais de classe, que gostaria de poder me levantar e dizer que David havia sido maravilhoso na cama. Apesar da minha repulsa diante da absurda redução de um homem que havia tido quase um metro e noventa de altura a uma pequena urna com cinzas, e um desejo avassalador de não me aproximar do túmulo, ele mais uma vez me empurrou para que eu olhasse, absorvesse, acreditasse que era isso mesmo que estava acontecendo.

Passei o resto da minha estada na Inglaterra com amigos e, aos poucos, comecei a compreender que o futuro que eu havia pressuposto, assim como o amor e o apoio com os quais eu contava, havia desaparecido. Uma vez que David estava morto, houve milhares de coisas das quais me lembrei. E houve muitos, muitos arrependimentos: por oportunidades perdidas, discussões desnecessárias e prejudiciais e uma percepção cada vez mais profunda de que não havia absolutamente nada a ser feito para mudar o que era um fato. Tantos, os sonhos perdidos: todos os nossos planos de uma casa cheia de crianças, todos os aspectos de aparentemente tudo, perdidos. No entanto, a dor é felizmente muito diferente da depressão. Ela é triste, terrível, mas não deixa de ter sua esperança. A morte de David não me mergulhou em trevas insuportáveis. O suicídio nunca me passou pela cabeça. E encontrei um verdadeiro consolo na gentileza imensa e lenitiva dos amigos, da família e mesmo de estranhos. No dia em que deixei a Inglaterra para voltar para os Estados Unidos, por exemplo, um funcionário no balcão da British Airways me perguntou se minha viagem havia sido a negócios ou de férias. Meu controle, que durante quase duas semanas havia sido inabalável, de repente se partiu. Em meio a uma enxurrada de lágrimas, expliquei as circunstâncias da minha visita. O funcionário imediatamente me transferiu para a primeira classe e me deu um lugar onde eu pudesse ter o máximo de privacidade. Ele deve ter mandado um aviso para as aeromoças, porque elas também foram extraordinariamente gentis, solícitas, e me deixaram em paz com meus pensamentos. Desde aquele dia, sempre que possível, viajo com a British Airways. E, a cada vez, lembro-me da importância de pequenas gentilezas.

Voltei para casa para um enorme volume de trabalho, o que foi realmente útil, e para o desalento de algumas cartas de David, que haviam chegado na minha ausência. Nos dias que se seguiram, recebi mais duas cartas, muito atrasadas no correio, e depois, de modo inevitável e terrível, elas pararam. O choque da morte de David aos poucos desapareceu com o tempo. Sentir falta dele, não. Alguns anos após sua morte, fui convidada a falar a respeito dela. Encerrei com um poema escrito por Edna St. Vincent Millay:

O tempo não traz alívio; mentiram-me todos
os que disseram que o tempo amenizaria minha dor!
Sinto sua falta no choro da chuva;
Quero sua presença no recuar da maré.
A velha neve escorre pela encosta de cada montanha,
E as folhas do outono viram fumaça em cada caminho
Mas o triste amor do passado deve permanecer
no meu coração, e meus velhos pensamentos
[perduram.
Há centenas de lugares aos quais receio ir
– por estarem tão repletos de lembranças dele.
E ao entrar com alívio em algum local tranqüilo
Onde seu pé nunca pisou, nem seu rosto brilhou,
Eu digo: "Aqui não há nenhuma recordação dele!"
E com isso paro, arrasada, e me lembro tanto dele.

O tempo acabou trazendo o alívio. Mas ele não se apressou, e a espera não foi das mais agradáveis.

Dizem que Choveu

Durante alguns anos, a dor e a insegurança acumuladas com a morte de David, bem como as decorrentes da minha própria doença, rebaixaram e estreitaram muito minhas expectativas da vida. Retraí-me e, para todos os efeitos, tranquei meu coração a fim de protegê-lo de qualquer exposição desnecessária ao mundo. Eu trabalhava muito. Ser responsável por um ambulatório, ensinar, realizar pesquisas e escrever livros não eram nada que substituísse o amor, mas eram atividades interessantes e que conferiam algum significado à minha vida gravemente interrompida. Tendo afinal me conscientizado das conseqüências desastrosas de começar e parar com o lítio, eu o tomava conscienciosamente e descobri que a vida era bem mais estável e previsível do que eu havia calculado. Minhas fossas ainda eram sérias, e meu temperamento explodia com facilidade, mas agora eu podia fazer planos com uma certeza muito maior, e os períodos de trevas absolutas eram menos freqüentes e menos exagerados.

Mesmo assim, eu estava inegavelmente ferida, em carne viva, por dentro. Em nenhum momento, naqueles oito anos desde que eu passara a fazer parte do corpo docente – apesar da repetição dos longos meses de manias e depressões, da minha tentativa de suicídio e da morte de David –, eu havia me afastado por um prazo prolongado do trabalho ou mesmo saído de Los Angeles, para me curar e fazer curativos nos ferimentos extensos e antigos. Por isso, aproveitando a mais fabulosa de todas as regalias de um professor universitário, resolvi tirar um ano de licença na Inglaterra. Como St. Andrews muitos anos antes, essa estada revelou-se um interlúdio tranqüilo e maravilhoso. O amor, longos períodos de tempo dedicados a mim mesma e uma vida fantástica em Londres e em Oxford deram, tanto ao meu coração quanto à minha mente, a oportunidade de voltar lentamente a remontar aquilo que havia sido destroçado.

Meus motivos acadêmicos para ir à Inglaterra consistiam em conduzir um estudo dos transtornos do humor em importantes pintores e escritores britânicos e em trabalhar num texto médico sobre a doença maníaco-depressiva que eu estava escrevendo com um colega. Meu tempo foi dividido entre o trabalho na St. George's Hospital Medical School em Londres e na Universidade de Oxford. As experiências não poderiam ter sido mais diferentes, cada uma incrível por motivos muito diversos. St. George's, um grande hospital-escola agora localizado no meio de uma das áreas mais pobres de Londres, era ativo e cheio de vida como os bons hospitais-escola costumam ser. Já estava com 250 anos e havia abrigado Edward Jenner, o grande cirurgião John Hunter e muitos outros clínicos e cientistas famosos na história da medicina. O hospital também era o repouso final para Blossom, a vaca que Jenner havia usado ao realizar sua pesquisa para a vacina contra a varíola. Seu couro magnífico embora algo esfarrapado estava suspenso sob a proteção de um vidro na biblioteca da escola de medicina. Quando o vi pela primeira vez, de longe e sem meus óculos, achei que fosse uma pintura abstrata estranha, mas de uma beleza inusitada. Fiquei feliz ao descobrir que na realidade era o couro de uma vaca, e não de qualquer vaca, mas uma de tanto renome médico. Havia algo de positivo em trabalhar perto de Blossom, e eu passei muitas horas felizes na sua companhia, trabalhando, ou pensando em trabalhar, e erguendo os olhos de vez em quando para seus restos incongruentes porém fascinantes.

Oxford era completamente diferente. Eu tinha uma bolsa para pesquisa em Merton College, uma das três instituições originais de Oxford fundadas no século XIII. A capela de Merton havia sido construída na mesma época, e parte dos seus vitrais de cores profundas e beleza incrível também data daquele período. A biblioteca, construída um século depois, e uma das melhores bibliotecas medievais da Inglaterra, também foi a primeira a guardar os livros em pé em estantes em vez de deitados em arcas. Diz-se que sua coleção de livros dos primórdios da imprensa foi prejudicada pelo fato de a faculdade estar convicta de que a imprensa era apenas uma moda passageira, que jamais seria capaz de substituir os manuscritos. Parte dessa confiança extraordinária – tão imune às realidades do presente ou à aproximação do futuro – ainda se infiltra pelas faculdades de Oxford, gerando, de modo variado, irritação ou diversão, dependendo do estado de ânimo e das circunstâncias de cada um.

Eu tinha um lindo apartamento em Merton com vista para os campos de esportes, e lia (embora com dificuldade) e escrevia em sossego total, interrompida apenas por um funcionário da faculdade que me trazia café pela manhã e chá à tarde. O almoço era quase sempre com os outros pesquisadores, um grupo extraordinariamente interessante, embora eventualmente estranho, de pesquisadores e professores representando todos os campos de estudo dentro da universidade. Havia historiadores, matemáticos, filósofos e estudiosos da literatura; mas, sempre que possível, eu costumava me sentar ao lado de Sir Alister Hardy, o biólogo marinho, que era um homem fascinante e um maravilhoso contador de histórias. Eu passava horas ouvindo os relatos das suas primeiras explorações científicas da Antártica, bem como a conversa sobre sua pesquisa atual a respeito da natureza das experiências religiosas. Tínhamos um forte interesse comum por William James e a natureza das experiências de êxtase; e ele saltava de um campo para outro, da literatura para a biologia, daí para a teologia, sem esforço e sem pausa.

Merton estava não só entre as faculdades mais antigas e mais prósperas de Oxford; ela era também amplamente reconhecida por ter a melhor cozinha e a adega mais requintada. Por esse motivo, não era raro que eu me encontrasse em Oxford para jantar na faculdade. Essas eram noites num tempo muitíssimo remoto: bebericar o xerez e conversar com os lentes antes do início do jantar; entrar juntos, em procissão, no belo refeitório antigo; com humor, observar os estudantes da graduação, desalinhados, com suas becas pretas, que se punham de pé quando os lentes entravam (a deferência tinha lá sua atração; talvez fazer mesuras não fosse assim tão ruim). As cabeças baixas, rápidas orações em latim, todos, estudantes e lentes, esperávamos que o diretor se sentasse. Fato que seria acompanhado por um ruído imediato e ensurdecedor de estudantes arrastando cadeiras, rindo e gritando em voz alta em todas as longas mesas de jantar.

À mesa principal, as conversas e o entusiasmo eram mais contidos; e sempre havia conversa de Oxford da melhor qualidade, geralmente inteligente, muitas vezes hilariante, eventualmente sufocante. Jantares excelentes com vinhos esplêndidos eram todos anotados com uma caligrafia elegante em menus timbrados. Em seguida, saíamos em fila para uma sala menor, com maior privacidade, para conhaques e vinho do Porto, frutas e gengibre cristalizado, com o diretor e os adjuntos. Não consigo imaginar como alguém poderia realizar qualquer trabalho depois desses jantares, mas, como todos que conheci que ensinavam em Oxford pareciam ter escrito pelo menos quatro livros de impacto sobre um ou outro tópico obscuro, eles deviam ter herdado, ou cultivado, fígados e cérebros de tipos muito diferentes. Quanto a mim, o vinho da refeição e o vinho do porto acabavam me atingindo e, depois de me jogar no último trem para Londres, eu ficava olhando pela janela para a noite lá fora, imersa por cerca de uma hora em outros séculos, feliz por estar perdida entre mundos e eras.

Embora eu fosse a Oxford algumas vezes por semana, a maior parte da minha vida girava em torno de Londres. Eu passava uma boa quantidade do tempo perambulando com prazer pelos parques e museus, além de tirar longos fins de semana com amigos que moravam em East Sussex, a caminhar pela chapadas com vista para o Canal da Mancha. Também voltei a montar. Senti o retorno de uma surpreendente sensação de vida e vitalidade quando saía a cavalo pelas manhãs nevoentas do Hyde Park, durante o frio do final do outono, e a sensação era ainda mais intensa quando eu galopava a esmo pelo interior de Somerset, atravessando bosques de faias e fazendas. Eu me havia esquecido de como era estar aberta daquela forma para o vento, para a chuva e a beleza; e eu podia sentir a vida voltando a se infiltrar em fendas do meu corpo e da minha mente que eu havia descartado totalmente por estarem mortas ou em hibernação.

Foi preciso meu ano na Inglaterra para que eu me desse conta de como eu estava simplesmente marcando passo, dedicada a sobreviver e a evitar a dor em vez de me envolver ativamente com a vida e ir à luta. A oportunidade de escapar das lembranças da doença e da morte, de uma vida agitada e das responsabilidades clínicas e de ensino não foi muito diferente daquele meu ano de estudante de graduação em St. Andrews. Ela me proporcionou uma aparência de paz que antes me escapava, e um lugar só meu para a cura e a reflexão, mas principalmente para a cura. A Inglaterra não tinha a magia celta de St. Andrews – creio que nada poderia tê-la para mim – mas ela me devolveu a mim mesma, me devolveu minhas grandes esperanças de vida. E me devolveu minha fé no amor.

Afinal consegui chegar a uma espécie de aceitação da morte de David. Ao visitar seu túmulo em Dorset num dia frio e ensolarado, fiquei impressionada com a beleza do cemitério em que ele estava enterrado. Eu não me lembrava de quase nada do local do dia do enterro, e sem dúvida não me recordava da sua tranqüilidade e beleza. A quietude mortal era um tipo de consolo, imagino eu, mas não necessariamente o tipo que se procuraria. Pus um buquê de violetas de hastes longas no seu túmulo e me sentei, acompanhando com o dedo as letras do seu nome no granito, lembrando-me do tempo que passamos juntos na Inglaterra, em Washington e em Los Angeles. Parecia ter sido há muito tempo, mas eu ainda podia vê-lo, alto e bonito, parado de braços cruzados, rindo, no alto de um morro durante uma das nossas caminhadas pelo interior da Inglaterra. Eu ainda sentia sua presença ao meu lado, enquanto nos ajoelhávamos juntos numa estranha intimidade, diante da mesa da comunhão na Catedral de St. Paul. E eu ainda sentia, com absoluta clareza, seus braços a me enlaçar, mantendo o mundo a distância, dando-me conforto e segurança no meio de uma desolação total. Desejei mais do que qualquer outra coisa que ele pudesse ver que tudo estava bem e que eu pudesse de algum modo retribuir sua generosidade e sua confiança em mim. No entanto, enquanto eu estava ali sentada no cemitério, pensei principalmente em tudo que David havia perdido por morrer jovem. E então, depois de cerca de uma hora em que estive perdida nos meus pensamentos, de repente fui dominada pela percepção de que, pela primeira vez, estivera pensando em tudo que David tinha perdido, e não naquilo que nós dois juntos iríamos perder.

David me havia amado e aceitado de uma forma extraordinária. Sua firmeza e delicadeza haviam sido meu apoio e minha salvação, mas ele se fora. A vida prosseguia – por causa dele e apesar da sua morte. E agora, quatro anos após seu falecimento, eu encontrava um amor de uma natureza muito diferente e uma crença renovada na vida. Isso chegava a mim sob a forma de um inglês elegante, melancólico e perfeitamente encantador que eu havia conhecido no início daquele mesmo ano. Em virtude das nossas circunstâncias pessoais e profissionais, nós dois sabíamos que nosso caso teria de terminar com o final do ano, mas – apesar disso ou por causa disso – tratava-se de um relacionamento que afinal conseguiu devolver o amor, o riso e o desejo a uma vida enclausurada e a um coração totalmente enregelado.

Nós nos havíamos conhecido num jantar em Londres durante uma das minhas visitas anteriores à Inglaterra. Foi, de uma forma fantástica e inegável, amor à primeira vista. Nenhum de nós dois prestou atenção a qualquer outra pessoa à mesa naquela noite, e concluímos mais tarde que nenhum de nós dois jamais havia sido arrebatado de um modo tão completo e irracional pela força dos nossos sentimentos. Alguns meses depois, quando voltei a Londres para meu ano de licença, ele ligou e me convidou para jantar. Eu estava morando numa casa de vila alugada em South Kensington. Por isso fomos a um restaurante ali perto. Para nós dois, foi uma continuação do que havíamos sentido quando nos conhecemos. Fiquei fascinada pela facilidade com que ele me compreendia e desarmada em termos físicos pela sua força vibrante. Muito antes de o vinho terminar, os dois sabíamos que já não havia mais condição para recuar.

Estava chovendo quando saímos do restaurante, e ele me enlaçou enquanto corríamos, estabanados, para minha casa. Quando chegamos, ele me deu um abraço apertado que durou muito tempo. Eu sentia a umidade e o cheiro da chuva no seu casaco, sentia seus braços em volta de mim e me lembrei, com alívio, de como os cheiros, a chuva, o amor e a vida podem ser extraordinários. Fazia muito tempo mesmo que eu não estava com nenhum homem; e, compreendendo esse ponto, ele foi gentil, delicado e totalmente carinhoso. Nós nos víamos com a freqüência possível. Como nós dois tínhamos a propensão a alternâncias de humor e sentimentos intensos, podíamos nos consolar com facilidade e, pelo mesmo motivo, dar amplo espaço um ao outro sempre que necessário. Falávamos sobre qualquer assunto. Eram quase de assustar sua intuição, inteligência, paixão e sua ocasional melancolia profunda.

Ele chegou a me conhecer melhor do que qualquer pessoa jamais me conheceu. Não tinha dificuldade para ver a complexidade nas situações emocionais ou humores. Os seus próprios o capacitavam a compreender e respeitar a irracionalidade, os loucos entusiasmos, o paradoxo, a mudança e a contradição. Compartilhávamos um amor por poesia, música, pela tradição e pela irreverência, bem como uma consciência infatigável do lado mais sombrio de tudo que era luminoso, e do lado mais luminoso de quase tudo que era desolado ou mórbido.

Criamos nosso próprio universo de conversas, desejo e amor, vivendo de champanhe, rosas, neve, chuva, sem preocupações com o futuro; uma ilha particular e intensa de vida conquistada por nós dois. Não hesitei em lhe contar tudo sobre mim mesma; e ele, como David, foi extremamente compreensivo quanto à minha doença maníaco-depressiva. Sua reação imediata depois que lhe contei foi segurar meu rosto com as duas mãos, me dar um beijo delicado em cada face e dizer que achava impossível me amar mais do que já me amava. Ele ficou em silêncio por um tempo e então acrescentou: "Na verdade, isso não me surpreende, mas sem dúvida explica uma certa vulnerabilidade que acompanha sua ousadia. Fico feliz por você ter me contado." Ele estava falando sério. Não se tratava apenas de palavras fáceis para encobrir sentimentos constrangedores. Tudo que ele fez e disse depois da nossa conversa só reforçou o significado das suas palavras. Ele compreendia minhas vulnerabilidades, sabia levá-las em consideração e pô-las em perspectiva. Mas também conhecia e amava meus pontos fortes à medida que os via. Ele mantinha os dois lados em mente, protegendo-me da mágoa e da dor da minha doença e amando aqueles meus aspectos que na sua impressão deixavam a paixão transbordar para a vida, o amor, o trabalho, as pessoas. Falei-lhe dos meus problemas com a idéia de tomar o lítio, mas também do fato de minha vida depender dele. Disse-lhe que já havia conversado com meu psiquiatra sobre a possibilidade de tomar uma dose mais baixa na esperança de amenizar alguns dos efeitos colaterais mais problemáticos. Eu estava ansiosa por fazer a experiência, mas com muito medo de sofrer uma recorrência da mania. Ele argumentou que nunca haveria um período mais seguro e mais protegido na minha vida para essa tentativa e disse que me ajudaria. Depois de conversar com meu psiquiatra em Los Angeles e com meu médico em Londres, comecei bem devagar a reduzir a dosagem do lítio que estava tomando. O efeito foi dramático. Era como se tivessem tirado ataduras dos meus olhos depois de muitos anos de cegueira parcial. Alguns dias depois de reduzir minha dosagem, eu estava caminhando pelo Hyde Park, ao lado da Serpentine, quando percebi que meus passos estavam literalmente mais cheios de vitalidade do que antes e que eu estava absorvendo imagens e sons que antes eram filtrados através de camadas de gaze. O grasnar dos patos era mais insistente, mais nítido e mais forte; as irregularidades no caminho eram muito mais perceptíveis; eu me sentia mais cheia de energia e de vida. O que era mais significativo, eu pude voltar a ler sem esforço. Enfim, foi extraordinário.

    Naquela noite, enquanto esperava (bordando, vendo a neve cair, ouvindo Chopin e Elgar) que meu inglês apaixonado e instável aparecesse, eu de repente me conscientizei de como a música me parecia clara e tocante; como era de uma beleza extrema e melancólica o fato de eu observar a neve e esperar por ele. Eu estava sentindo mais beleza, mas também mais tristeza de verdade. Quando ele surgiu – elegante, acabando de chegar de um jantar de cerimônia, de *smoking*, com uma echarpe de seda branca jogada de qualquer jeito em volta do pescoço e uma garrafa de champanhe na mão – pus para tocar a sonata póstuma para piano em Si bemol, D. 960, de Schubert. Seu erotismo belíssimo e obsessivo me encheu de emoção e me fez chorar. Chorei pela contundência de toda a emoção que eu havia perdido sem saber, e chorei pelo prazer de voltar a vivenciá-la. Até hoje, não consigo ouvir essa obra sem me sentir cercada pela linda tristeza daquela noite, pelo amor que eu tinha o privilégio de conhecer e pela lembrança do equilíbrio precário que existe entre a sanidade e um sufocamento sutil e terrível dos sentidos.

Uma vez, depois de alguns dias dedicados só a nós dois e sem absolutamente nenhum contato com o mundo exterior, ele me trouxe uma antologia de escritos sobre o amor. Ele havia marcado um pequeno verbete que captava a essência não só daqueles dias intensos, gloriosos, mas do ano inteiro também:

Obrigado por um fim de semana delicioso.
Dizem que choveu.

O Amor a Observar a Loucura

Eu morria de medo de sair da Inglaterra. Meus humores andavam num equilíbrio mais estável há tanto tempo que já nem me lembrava. Meu coração estava novamente com vida; e minha cabeça estava em glória, tendo aproveitado ao máximo sua passagem menos medicada por Oxford e St. George's. Era cada vez mais difícil imaginar ter de renunciar ao ritmo suave dos dias que eu havia estabelecido para mim em Londres; e ainda mais difícil pensar em perder a paixão, a intimidade e a compreensão que haviam preenchido minhas noites. A Inglaterra havia acalmado a maior parte das minhas incessantes cogitações sobre hipóteses, motivos e o que poderia ter sido. Ela também acalmou, de um modo muito diferente, minha guerra implacável contra o lítio, a maior parte da qual não havia sido outra coisa senão uma luta inútil com as especificidades da minha própria mente. Essas batalhas muito me haviam custado em tempo perdido; e, sentindo-me novamente eu mesma, não estava mais disposta a me arriscar a perder ainda mais tempo. A vida se havia tornado algo digno de não se perder.

    Inevitavelmente, o ano foi passando. As neves e os aconchegantes conhaques do inverno inglês deram lugar às chuvas delicadas e aos vinhos brancos do início do verão. Rosas e cavalos surgiram no Hyde Park; as belas flores diáfanas das macieiras se espalhavam pelos galhos negros das árvores no St. James Park; e as longas horas paradas da luz de verão conferiam um tom eduardiano aos dias até minha partida. Tornara-se difícil lembrar minha vida em Los Angeles, e ainda mais pensar em voltar para os dias caóticos de direção de um grande ambulatório universitário repleto de pacientes graves, de ensino e de consultas a um monte de pacientes por dia. Eu estava começando a ter minhas dúvidas de que pudesse me lembrar dos detalhes da condução de um exame e do levantamento de uma história psiquiátrica, para não falar em ensinar os procedimentos a outros. Eu relutava em deixar a Inglaterra e relutava ainda mais em voltar para uma cidade que viera a associar não só a uma estafante carreira acadêmica, mas a colapsos nervosos, à falta de vida, à frieza e ao desgaste que os acompanhavam, bem como ao esforço extenuante de fingir que estava bem quando não estava, além de agir com amabilidade quando estava me sentindo terrível.

    Eu estava, porém, muito errada nesses meus presságios. O ano havia sido muito mais do que apenas um interlúdio repousante; ele de fato havia sido restaurador. Ensinar era novamente divertido; supervisionar o trabalho clínico dos residentes e internos era, como havia sido no passado, um prazer; e as consultas com os pacientes me proporcionaram a oportunidade de tentar pôr em prática parte do que eu havia aprendido com minhas próprias experiências. A exaustão mental havia feito longos e terríveis estragos, mas, por estranho que fosse, foi só quando voltei a me sentir bem, cheia de energia e com ótima disposição que tive uma noção real desses estragos.

E assim o trabalho ia bem e relativamente sem problemas. Grande parte do meu tempo era dedicada à elaboração de um manual sobre a doença maníaco-depressiva do qual eu era co-autora. Eu estava feliz por ser tão mais fácil ler, analisar e gravar a literatura médica, que até recentemente havia representado um tremendo esforço para compreender. Considerei a redação das minhas partes do manual uma combinação satisfatória de ciência, medicina clínica e experiência pessoal. Eu me preocupava com a possibilidade de que essa experiência pudesse influenciar indevidamente – pelo conteúdo ou pela ênfase – trechos do que escrevi, mas meu co-autor tinha pleno conhecimento da minha doença, e muitos outros clínicos e cientistas também revisaram o que nós escrevemos. Muitas vezes, porém, eu me flagrava recorrendo a certos aspectos daquilo que eu havia vivenciado, para salientar algum ponto da fenomenologia ou da prática clínica. Muitos dos capítulos que escrevi – os que trataram do suicídio, da aceitação da medicação, da infância e adolescência, da psicoterapia, da descrição clínica, da criatividade, personalidade e comportamento interpessoal, dos transtornos do pensamento, da percepção e cognição – foram influenciados por minha firme opinião de que essas eram áreas que haviam sido relativamente ignoradas no campo. Outros – como os da epidemiologia, do abuso de álcool e drogas e da avaliação dos estados maníacos e depressivos – consistiam numa resenha mais direta da literatura psiquiátrica existente.

Para o capítulo da descrição clínica – a caracterização básica dos estados maníacos e hipomaníacos, dos estados depressivos e mistos, bem como das características ciclotímicas subjacentes a essas condições clínicas – contei não só com a obra de clínicos clássicos como o Professor Emil Kraepelin, e os numerosos pesquisadores clínicos que haviam realizado extensos estudos com base em dados, mas também com textos dos próprios pacientes maníaco-depressivos. Muitas das descrições eram de escritores e pintores que forneciam relatos altamente eloqüentes e nítidos das suas manias, depressões e estados mistos. A maior parte do restante dos relatos era de pacientes meus ou de passagens extraídas da literatura psiquiátrica. Em alguns casos, porém, usei minhas próprias descrições das minhas experiências, que eu havia redigido com a finalidade de usá-las no ensino ao longo dos anos. Portanto, intercalados entre os estudos clínicos, as freqüências de sintomas e clássicas descrições clínicas da literatura médica européia e britânica havia excertos de poemas, romances e relatos autobiográficos escritos por indivíduos que haviam sofrido da doença maníaco-depressiva.

Volta e meia, em virtude de experiências tanto clínicas quanto pessoais, eu me descobria dando ênfase à terrível letalidade da doença maníaco-depressiva, à apavorante agitação envolvida nos estados maníacos mistos e à importância de lidar com a relutância do paciente em tomar o lítio ou outros medicamentos para controlar suas alternâncias de humor. Ter de tomar uma distância dos meus próprios sentimentos e do meu próprio passado para poder escrever de uma forma mais cerebral e intelectual foi revigorante e me forçou a estruturar a confusão que eu havia vivenciado além de pô-la numa perspectiva mais objetiva. Muitas vezes, a ciência do campo não era apenas emocionante, mas também parecia oferecer a esperança muito realista de novos tratamentos. Embora eventualmente fosse desconcertante ver emoções e comportamentos poderosos e complexos destilados em expressões diagnósticas sufocantemente neutras, era difícil não se deixar enredar nos novos métodos e descobertas de um campo em rápido avanço na medicina clínica.

Acabei por adorar estranhamente a disciplina e a obsessão por minúcias que fazem parte da elaboração de inúmeras tabelas de dados. Havia como que um acalanto tranquilizador no registro de números e mais números, percentuais e mais percentuais, nas tabelas de resumo; em analisar os métodos usados nos diversos estudos; e depois em tentar extrair algum sentido geral do grande número de artigos e livros que haviam sido examinados. Exatamente como agia quando estava assustada ou perturbada quando criança, concluí que fazer perguntas, procurar as melhores respostas possíveis e depois fazer ainda mais perguntas era a melhor maneira de criar um distanciamento da angústia e uma estrutura para a compreensão.

A redução do meu nível de lítio trouxera de volta à minha vida não só uma clareza de raciocínio, mas também uma nitidez e um avivamento da experiência. Esses elementos haviam no passado formado o núcleo do meu temperamento normal, e sua ausência havia deixado enormes vazios na minha forma de reagir ao mundo. O excesso de rigidez na estruturação das minhas disposições de ânimo e do meu temperamento, resultado de uma dose maior de lítio, deixou minha resistência ao estresse mais baixa do que uma dose reduzida, que, à semelhança das normas para construção na Califórnia, projetadas para evitar danos decorrentes de terremotos, permitia que minha mente e minhas emoções oscilassem um pouco. Portanto, e de forma bastante estranha, havia uma nova firmeza tanto no meu pensamento quanto nas minhas emoções. Aos poucos, à medida que fui olhando ao meu redor, percebi que era esse o tipo de neutralidade e previsibilidade que a maioria das pessoas tinha, e que provavelmente encarava como líquida e certa, ao longo das suas vidas.

Quando eu estava na graduação, dei aulas particulares de estatística a um estudante cego. Uma vez por semana ele vinha, com seu cão, até meu pequeno escritório no porão do prédio de psicologia. Trabalhar com ele me afetava muito já que eu via como era difícil para ele fazer as coisas que para mim eram tão naturais. Também me impressionava a percepção do relacionamento extraordinariamente íntimo entre ele e seu *collie*, que depois de acompanhá-lo até o escritório, imediatamente se enrodilhava e adormecia aos seus pés. À medida que o semestre foi passando, eu me sentia cada vez mais à vontade para lhe fazer perguntas sobre como era ser cego; sobre como era ser cego, jovem e estudante da graduação na Universidade da Califórnia; e sobre como era ter de depender tanto dos outros para aprender e para sobreviver. Depois de alguns meses, eu me havia iludido de que tinha pelo menos uma idéia, por ínfima que fosse, de como a vida era para ele. Um dia, então, ele me perguntou se eu me importava de me encontrar com ele, para sua aula, no salão de leitura para cegos da biblioteca da graduação, em vez de no meu escritório.

Localizei a sala de leitura com alguma dificuldade e comecei a entrar. Parei de repente ao perceber com horror que o recinto estava quase totalmente escuro. O silêncio era total, nenhuma lâmpada estava acesa, e mesmo assim havia uma meia-dúzia de alunos debruçados sobre livros ou ouvindo atentamente gravações que haviam feito das aulas dos seus professores. Um calafrio desceu pela minha espinha com o aspecto lúgubre da cena. Meu aluno ouviu minha chegada, levantou-se, caminhou até o interruptor e acendeu a luz para mim. Foi um daqueles momentos de calma e clareza em que se percebe que não se entendeu absolutamente nada, que não se teve nenhuma compreensão verdadeira do universo do outro. À medida que fui entrando no universo dos humores mais estáveis e da vida mais previsível, comecei a perceber que tinha pouquíssimo conhecimento dele e que não fazia nenhuma idéia real de como seria viver num lugar desses. Sob muitos aspectos, eu era uma estranha ao mundo normal.

Era uma idéia que dava o que pensar e que tinha dois gumes. Meus humores ainda oscilavam com freqüência e precipitação suficientes para me proporcionar eventuais experiências inebriantes, dos limites da mente. Essas manias brancas eram impregnadas da exuberância forte e ambiciosa, da absoluta certeza de propósito e do fácil encadeamento de idéias que durante tanto tempo me dificultaram a aceitação do lítio. Mas a verdade era que, quando se seguia a inevitável exaustão, eu voltava a me submeter ao reconhecimento de que tinha uma doença grave, que podia destruir todo o prazer, a esperança e a competência. Comecei a cobiçar a estabilidade diária aparentemente à disposição da maioria dos meus colegas. Comecei também a avaliar como se havia tornado preocupante e estafante o simples esforço para me manter à tona. Era verdade que eram muitas as realizações durante os dias e semanas de vôos altos, mas também era verdade que eram engendrados novos projetos e acertados novos compromissos, que então precisariam ser cumpridos durante os tempos mais cinzentos. Eu vivia correndo atrás do rabo do meu próprio cérebro, recuperando-me de novos humores e experiências ou mergulhando neles. O que era novo começava a parecer carente tanto de novidade quanto de brilho; e o mero acúmulo de experiências começava a parecer muito menos significativo do que eu imaginava que a exploração das profundezas dessas experiências devesse ser.

Os extremos nas minhas alterações de humor não eram nem de longe tão pronunciados quanto no passado, mas estava claro que uma instabilidade baixa e espasmódica se havia tornado parte integral da minha vida. Depois de muitos anos, eu agora finalmente estava convencida de que uma certa estabilidade intelectual era não só desejável, mas essencial. Em alguma parte do meu coração, porém, eu continuava a acreditar que o amor intenso e duradouro era possível apenas num clima de paixões algo tumultuosas. Na minha opinião, isso me destinava a viver com um homem cujo temperamento fosse em grande parte semelhante ao meu. Demorei a entender que o caos e a veemência não são substitutos do amor duradouro, nem são necessariamente um aperfeiçoamento da vida real. As pessoas normais nem sempre são cansativas. Pelo contrário. A instabilidade e a paixão, embora muitas vezes sejam mais românticas e sedutoras, não são intrinsecamente preferíveis a uma constância de experiência e sentimento em relação a alguma outra pessoa (nem são incompatíveis com ela). É claro que essas são opiniões que se têm intuitivamente no que diz respeito às amizades e à família. Elas se tornam menos óbvias quando ficam presas a uma vida romântica que espelha, amplia e perpetua a instabilidade do nosso próprio temperamento e vida emocional. Foi com prazer e com uma dor considerável que aprendi acerca das possibilidades do amor – sua constância e seu crescimento – com meu marido, o homem com quem estou vivendo há quase uma década.

 Conheci Richard Wyatt numa festa de Natal em Washington, e ele sem dúvida não era nada do que eu havia esperado. Eu já havia ouvido falar nele – é um renomado pesquisador da esquizofrenia, Chefe de Neuropsiquiatria no Instituto Nacional de Saúde Mental, e autor de mais de setecentos trabalhos e livros científicos – mas estava totalmente despreparada para o homem bonito, despretensioso, de uma simpatia sem alarde, com quem me descobri conversando perto de uma árvore de Natal gigantesca. Ele não era só bonito; era muito fácil conversar com ele, e nós nos vimos com freqüência nos meses que se seguiram. Menos de um ano depois de nos termos conhecido, voltei a Londres para outros seis meses maravilhosos, mais uma vez em licença da UCLA, e depois retornei a Los Angeles o tempo suficiente para cumprir minhas obrigações posteriores à licença e fazer planos para me mudar para Washington. A história toda havia sido um namoro curto, mas muito convincente. Eu adorava estar com ele e o considerava não só de uma inteligência incrível, mas também criativo, de uma curiosidade diabólica, revigorantemente flexível e maravilhosamente descontraído. Mesmo naquela época, bem no início do nosso relacionamento, eu não conseguia imaginar minha vida sem ele. Pedi demissão do meu posto efetivo na faculdade de medicina com uma tristeza autêntica por deixar a Universidade da Califórnia, que eu amava, e com uma ansiedade considerável pelas implicações financeiras de abdicar de uma renda segura, e então passei por uma longa série de festas de despedida oferecidas por colegas, amigos e alunos. No todo, porém, deixei Los Angeles sem grande pesar. Ela nunca havia sido para mim a Cidade dos Anjos, e eu estava mais do que feliz por deixá-la, primeiro, a milhares de pés abaixo de mim e depois milhares de milhas para trás, repleta de proximidade da morte, de uma inocência totalmente destroçada e da perda e destruição recorrentes da razão. A vida na Califórnia havia sido com freqüência boa, até mesmo maravilhosa, mas para mim era difícil ver isso na hora em que voltava para Washington para morar. A Terra Prometida sempre promissora, sempre esquiva e infinitamente complexa me parecia ser exatamente isso: uma promessa.

Richard e eu nos mudamos para uma casa em Georgetown e rapidamente verificamos o que nosso bom-senso nos deveria ter dito: não podíamos ter sido mais diferentes. Ele era discreto, eu era veemente. Coisas que me atingiam profundamente, ele conseguia superar praticamente sem perceber. Ele demorava para chegar à raiva; eu, não. O mundo o atingia sem grande impacto, às vezes nem o atingia, enquanto para mim tanto o prazer quanto a dor vinham velozes. Ele de fato era, sob muitos aspectos e a maior parte do tempo, um homem moderado; eu reagia mais depressa a desfeitas, percebia mais depressa as mágoas que inevitavelmente nos causávamos e talvez fosse mais rápida para estender a mão e procurar consertar situações. Os concertos e a ópera, arrimos da minha existência, eram uma tortura para ele; da mesma forma que as longas caminhadas ou férias que durassem mais de três dias. Éramos totalmente incompatíveis. Eu me enchia de milhares de entusiasmos ou afundava em negro desespero. Richard, que na maior parte do tempo mantinha um curso emocional uniforme, considerava difícil lidar com minhas alterações de humor extremamente instáveis – ou, pior ainda, levá-las a sério. Ele não fazia a menor idéia de como agir comigo. Se eu lhe perguntava no que estava pensando, nunca era sobre a morte, a condição humana, os relacionamentos ou sobre nós dois. Em vez disso, quase sempre era sobre algum problema científico ou, eventualmente, sobre um paciente. Ele se dedicava à ciência e à prática da medicina com a mesma intensidade romântica que era parte integrante do meu modo de me dedicar ao resto da vida.

Estava claro que ele não iria me fitar com um olhar significativo durante longos jantares regados a bons vinhos, nem discutiria literatura e música com café e vinho do Porto, tarde da noite. Na realidade, ele *não conseguia* ficar sentado quieto por muito tempo; tinha uma capacidade de atenção que mal se podia medir, não bebia muito, nunca tomava café e não sentia um interesse especial pelas complexidades dos relacionamentos ou pelas afirmações da arte. Não tolerava poesia e ficou realmente perplexo com o fato de eu parecer passar tanto tempo do meu dia simplesmente perambulando, sem objetivo, indo ao zoológico, visitando galerias de arte, levando meu cachorro a passear – um bassê adorável, totalmente independente, de uma timidez mórbida, chamado Pumpkin – ou me encontrando com amigos para o café da manhã e o almoço. Mesmo assim, nem uma vez nos anos em que estamos juntos eu duvidei do seu amor por mim, nem do meu por ele. O amor, como a vida, é muito mais estranho e extremamente mais complicado do que costumam nos ensinar. Nossos interesses intelectuais comuns – a medicina, a ciência e a psiquiatria – são muito fortes; e nossas diferenças tanto em substância quanto em estilo permitiram a cada um de nós uma boa independência, o que foi essencial e que, em última análise, nos uniu muito mais ao longo dos anos. Minha vida com Richard tornou-se um porto seguro: um lugar extraordinariamente interessante, cheio de amor e carinho e sempre um pouco aberto para o mar lá fora. No entanto, como todos os portos seguros que conseguem manter seu fascínio assim como sua segurança, atingi-lo exigiu uma navegação não de todo isenta de problemas.

Quando falei a Richard da minha doença maníaco-depressiva, logo após nos conhecermos, ele pareceu realmente estupefato. Na ocasião, estávamos sentados no restaurante principal do Del Coronado Hotel em San Diego. Ele pôs lentamente no prato o hambúrguer que estava comendo, olhou direto nos meus olhos e, sem pestanejar, disse num tom bastante seco que aquilo explicava muitas coisas. Sua delicadeza foi notável. Exatamente como David Laurie havia agido, ele me fez muitas perguntas sobre a forma com a qual a doença se apresentava e como ela afetava minha vida. Talvez porque os dois fossem médicos, também ele fez uma pergunta atrás da outra de natureza mais médica: quais eram meus sintomas quando eu estava maníaca, até que ponto eu havia ficado deprimida, se eu alguma vez havia tido tendências suicidas, que medicamentos eu havia tomado, quais eu estava tomando atualmente, se eles causavam efeitos colaterais em mim. Como sempre, foi discreto e tranqüilizador. Por mais profundas que fossem suas preocupações, ele teve a delicadeza e a inteligência de guardá-las para si.

No entanto, como eu bem sabia, a compreensão num nível abstrato não se traduz necessariamente numa compreensão no nível prático. Adquiri um ceticismo fundamental e profundo quanto à possibilidade de qualquer pessoa que não sofra dessa doença poder realmente compreendê-la. E, em última análise, é provavelmente irracional esperar o tipo de aceitação dela que se almeja com tanto desespero. Não se trata de uma doença que se preste facilmente à empatia. Uma vez que um estado irrequieto ou desgastado se transforme em raiva, violência ou psicose, Richard, como a maioria das pessoas, tem grande dificuldade para encarar essa atitude como doença, em vez de vê-la como uma atitude voluntariosa, irada, irracional ou simplesmente cansativa. O que eu vivencio como algo fora do meu controle pode lhe parecer proposital e assustador. Nessas ocasiões, é impossível que eu consiga transmitir meu desespero e minha dor. Depois, é ainda mais difícil a recuperação dos atos danosos e das palavras medonhas. Essas crises terríveis de mania, com seus aspectos ferozes, agitados e selvagens, são compreensivelmente difíceis para Richard entender e quase tão difíceis para que eu as explique.

Nenhuma quantidade de amor pode curar a loucura ou iluminar nossas melancolias profundas. O amor pode ajudar, pode tornar a dor mais tolerável, mas sempre estamos presos aos medicamentos que podem funcionar sempre ou nem sempre, que podem ser toleráveis ou não. A loucura, por outro lado, sem a menor dúvida e com freqüência consegue destruir o amor através da sua desconfiança, do seu pessimismo implacável, das suas insatisfações, do comportamento imprevisível e, especialmente, dos seus estados irracionais. As depressões mais tristes, mais sonolentas, mais lentas e menos instáveis são compreendidas de modo mais intuitivo e aceitas com maior facilidade. Uma melancolia tranqüila não é ameaçadora, nem fica fora do alcance da compreensão normal; já um desespero furioso, violento e irritante, sim. Ao longo de muito tempo, a experiência e o amor nos deram muitas lições sobre como lidar com a doença maníaco-depressiva. Eu de vez em quando rio e lhe digo que sua capacidade de não se perturbar equivale a 300 mg de lítio por dia para mim, e isso talvez seja verdade.

Às vezes, em meio a uma das minhas tremendas e destrutivas revoluções de humor, sinto a tranqüilidade de Richard por perto e me lembro da maravilhosa descrição que Byron fez do arco-íris que paira "Como a Esperança acima do leito de morte" a um passo de uma catarata tempestuosa e veloz; e no entanto, "enquanto tudo ao redor é dilacerado/ Pelas águas revoltas", o arco-íris mantém sua serenidade:

> *Lembrando, em meio ao tumulto da cena,*
> *O Amor a observar a Loucura com o semblante*
> *imperturbável.*

Se o amor não é a cura, ele sem dúvida pode atuar como um remédio muito eficaz. Como John Donne escreveu, ele não é tão puro e abstrato quanto se poderia ter imaginado e desejado um dia, mas ele perdura, sim, e cresce.

Quarta Parte
UMA MENTE INQUIETA

Por Falar em Loucura

Não muito tempo antes de eu sair de Los Angeles para Washington, recebi a carta mais desagradável e cheia de vitupérios que alguém jamais me escreveu. Não era de um colega nem de um paciente, mas de uma mulher que, tendo visto um cartaz de uma conferência que eu ia dar, ficou indignada por eu ter usado o termo "loucura" no título da palestra. Ela escreveu que eu era insensível, grosseira e que obviamente não fazia a menor idéia de como era sofrer de algo tão horrível quanto a doença maníaco-depressiva. Eu era apenas mais uma médica que estava galgando a hierarquia acadêmica pisando nos corpos dos doentes mentais. Fiquei abalada com a ferocidade da carta, ressentida com ela, mas acabei pensando muito sobre a linguagem da loucura.

Na linguagem usada para discutir e descrever a doença mental, muitos aspectos diferentes – a qualidade descritiva, a banalidade, a precisão clínica e o estigma – interagem de modo a criar confusão, mal-entendidos e um gradual empalidecimento de palavras e expressões tradicionais. Já não está mais claro que papel palavras como "louco," "biruta," "maluco," "doido" ou "alienado" deveriam ter numa sociedade cada vez mais sensível aos sentimentos e aos direitos dos que sofrem de doenças mentais. Será que, por exemplo, uma linguagem expressiva e muitas vezes humorística – expressões do tipo de "ir parar no Pinel," "ter um parafuso de menos," "não regular bem," "ser abilolado," ou "ser pancada" – deveria ser refém das modas e caprichos de uma linguagem "correta" ou "aceitável"?

Um dos meus amigos, antes de receber alta de um hospital psiquiátrico depois de um episódio de mania, foi forçado a participar de uma espécie de sessão de terapia de grupo projetada para ser um esforço no sentido da conscientização. Nela, aqueles que em breve seriam ex-pacientes eram encorajados a não usar ou a não permitir que fossem usados na sua presença termos como "tonto," "pancada," "gira," "tantã" ou "pateta". A impressão era a de que o uso dessas palavras iria "perpetuar uma falta de amor-próprio e uma auto-estigmatização". Meu amigo considerou o procedimento condescendente e ridículo. Mas será que foi mesmo? Por um lado, tratou-se de um conselho perfeitamente louvável e profissional, embora com um pouco de excesso de zelo. É forte a dor de ouvir essas palavras no contexto errado ou no tom errado. A lembrança do preconceito e da falta de sensibilidade permanece por muito tempo. Além disso, permitir que esse tipo de linguagem passe sem correção ou sem controle não só conduz sem dúvida ao sofrimento pessoal, mas contribui de modo direto e indireto para a discriminação nos empregos, nos seguros e na sociedade em geral.

Por outro lado, é bastante questionável a suposição de que expressões e frases de rejeição inflexível que existem há séculos tenham grande impacto sobre as atitudes públicas. Ela proporciona uma ilusão de respostas fáceis para situações de extrema dificuldade e descarta o poderoso papel do humor e da ironia como agentes positivos da noção de identidade e da transformação social. É claro que há uma necessidade de liberdade, diversidade, humor e objetividade na linguagem referente a comportamentos e estados mentais anormais. Com o mesmo nível de clareza, há uma profunda necessidade de mudança na percepção da doença mental por parte do público. A questão, naturalmente, é de contexto e ênfase. A ciência, por exemplo, exige uma linguagem de alta precisão. É freqüente demais, porém, que os medos e equívocos do público, as necessidades da ciência, as inanidades da psicologia popularizada e os objetivos das pesquisas sobre saúde mental acabem misturados numa confusão dissonante.

Um dos melhores casos em questão é a atual confusão quanto ao uso do termo cada vez mais popular "transtorno bipolar" – agora firmemente enraizado na nomenclatura do *Diagnostic and Statistical Manual* (DSM-IV), o sistema de diagnóstico oficial publicado pela Associação Americana de Psiquiatria – em lugar do termo histórico "doença maníaco-depressiva". Embora eu sempre me considere maníaco-depressiva, meu diagnóstico oficial pelo DSM-IV é "transtorno bipolar I; recorrente; severo com características psicóticas; recuperação plena entre episódios" (um dos muitos critérios de diagnóstico do DSM-IV que eu "satisfiz" no curso da doença, e meu preferido, é o de um "excessivo envolvimento em atividades prazerosas"). É óbvio que, como clínica e pesquisadora, tenho a firme opinião de que os estudos científicos e clínicos, para que possam ser realizados com precisão e confiabilidade, devem ser baseados no tipo de linguagem precisa e critérios de diagnóstico explícitos que compõem o cerne do DSM-IV. Nenhum paciente ou membro da sua família será bem servido por uma linguagem elegante e expressiva se ela também for imprecisa e subjetiva. Como indivíduo e paciente, no entanto, considero a palavra "bipolar" insultuosa de uma forma estranha e intensa: ela me parece obscurecer e minimizar a doença que supostamente representa. Já a descrição "maníaco-depressiva" parece captar tanto a natureza quanto a seriedade da doença que tenho, em vez de procurar encobrir a realidade dessa condição.

A maioria dos clínicos e muitos pacientes consideram que "transtorno bipolar" é menos estigmatizante do que "doença maníaco-depressiva". Talvez sim, mas talvez não. Sem dúvida, os pacientes que sofrem da doença deveriam ter o direito de escolher o termo com que se sentem mais à vontade. Surgem, porém, duas perguntas. Será que o termo "bipolar" é realmente preciso no sentido médico? E será que mudar o nome de uma enfermidade de fato conduz a uma maior aceitação dela? A resposta à primeira pergunta, que trata da precisão, é que "bipolar" é preciso no sentido de indicar que um indivíduo sofreu tanto de manias (ou manifestações brandas de mania) quanto de depressão, em oposição àqueles indivíduos que sofreram apenas de depressão. No entanto, classificar os transtornos do humor em categorias unipolares e bipolares pressupõe uma distinção entre a depressão e a doença maníaco-depressiva – no sentido tanto clínico quanto etiológico – que nem sempre é clara ou corroborada pela ciência. Da mesma forma, o termo perpetua a idéia de que a depressão existe perfeitamente segregada no seu próprio pólo, enquanto a mania se acumula, isolada, no outro. Essa polarização de dois estados clínicos desafia abertamente tudo que sabemos sobre a natureza instável e heterogênea da doença maníaco-depressiva; ela ignora a questão de saber se a mania não é, em última análise, apenas uma forma extrema da depressão; e ela minimiza a importância dos estados mistos maníacos-e-depressivos, condições que são comuns, extremamente importantes do ponto de vista clínico e que estão no cerne de muitas das questões teóricas de importância crítica, subjacentes a essa doença específica.

Surge também a questão de saber se, em última análise, a desestigmatização da doença mental resulta de uma mera mudança na linguagem ou se, em vez disso, ela resulta de esforços vigorosos de informação do público; de tratamentos eficazes, como o lítio, os anticonvulsivantes, antidepressivos e antipsicóticos; de tratamentos que não sejam apenas eficazes mas que também de algum modo atraiam a imaginação do público e da mídia (por exemplo, a influência do Prozac sobre a opinião pública e o conhecimento da depressão); da descoberta das causas subjacentes da doença mental de natureza genética ou de outras naturezas biológicas; de técnicas de visualização do cérebro, como a tomografia por emissão de positrons e a ressonância nuclear magnética, que comunicam visualmente a localização e a existência concreta desses transtornos; do desenvolvimento de exames de sangue que basicamente confiram credibilidade médica às doenças psiquiátricas; ou de decisões legislativas, como o Estatuto dos Americanos com Deficiências, e a obtenção de paridade com outras condições médicas de acordo com as normas de qualquer reforma do sistema de saúde que seja implementada. As atitudes diante da doença mental estão mudando, por mais lentas que sejam as mudanças, e em grande proporção isso se dá em decorrência de uma combinação de fatores – a legislação, a conscientização e o tratamento eficaz.

Os principais grupos de conscientização em saúde mental são compostos basicamente de pacientes, familiares e profissionais da saúde mental. Eles vêm tendo uma eficácia especial na transmissão de conhecimentos ao público, à mídia e aos governos estaduais e federal. Embora sejam muito diferentes em seus estilos e objetivos, esses grupos forneceram apoio direto a dezenas de milhares de pacientes individuais bem como a suas famílias; eles elevaram o nível do atendimento nas suas comunidades com sua insistência na competência e no respeito, recorrendo, de fato, ao boicote àqueles psiquiatras e psicólogos que não oferecem esses dois requisitos. Além disso, eles instigaram, atormentaram e adularam membros do Congresso (muitos dos quais sofrem pessoalmente de distúrbios do humor ou têm doença mental nas suas famílias) no sentido de que aumentassem os recursos para a pesquisa, propusessem paridade para as doenças psiquiátricas e aprovassem leis que proibissem a discriminação dos doentes mentais por parte de empregadores ou companhias de seguros. Esses grupos – assim como os cientistas e clínicos que tornam possível o tratamento – facilitaram a vida para todos nós que sofremos de doenças psiquiátricas, quer nos autodenominemos loucos, quer escrevamos cartas de protesto para os que assim agem. Por causa deles, agora temos o privilégio de poder debater as minúcias da linguagem descritiva da nossa própria condição e da condição humana.

A Hélice com Problemas

Sentado numa poltrona, com fácil acesso para uma fuga pela porta dos fundos do salão de conferências, Jim Watson estava irrequieto, espiando, fazendo um exame geral, forçando os olhos e bocejando. Seus dedos, unidos no alto da cabeça, batucavam, agitados, e ele alternava sua atenção ávida, embora passageira, entre os dados que eram apresentados, uma olhada disfarçada no *New York Times* e um mergulho na sua própria versão de um passeio pelos planetas. Jim não é bom nessa história de parecer interessado quando está entediado, e era impossível saber se ele realmente estava pensando na ciência em questão – a genética e biologia molecular da doença maníaco-depressiva – ou se estava, em vez disso, ruminando sobre política, fofocas, amor, potenciais doações financeiras para o Cold

Spring Harbor Laboratory, arquitetura, tênis ou não importa qual outro entusiasmo ardente e apaixonado estivesse ocupando sua mente e seu coração naquele momento. Homem veemente e excessivamente direto, ele não é do tipo que costuma despertar o lado imparcial das pessoas. Quanto a mim, eu o considero fascinante e fantástico. Jim é realmente independente e, num mundo cada vez mais neutro, é uma verdadeira zebra no meio de cavalos. Embora possa se alegar que é relativamente fácil ser independente e imprevisível quando se ganhou o Prêmio Nobel pelas suas contribuições à descoberta da estrutura da vida, também é óbvio que o mesmo temperamento subjacente – forte, competitivo, imaginativo e iconoclasta – ajudou a impulsionar sua pesquisa inicial em busca da estrutura do DNA.

O nível de energia de Jim é evidentemente alto e exerce grande atração. Seu ritmo, intelectual ou físico, pode ser estafante; e não é uma tarefa simples tentar acompanhá-lo, em conversas à mesa de jantar ou em caminhadas pelo terreno de Cold Spring Harbor. Sua mulher afirma que sabe dizer se Jim está em casa ou não apenas pela quantidade de energia que ela sente no ar. No entanto, por mais interessante que seja como pessoa, Jim é acima de tudo um líder científico: diretor até há bem pouco tempo de um dos mais avançados laboratórios de biologia molecular do mundo, o Cold Spring Harbor Laboratory, e primeiro diretor do Centro Nacional para Pesquisa do Genoma Humano. Nos últimos anos, ele voltou seu interesse para a pesquisa dos genes responsáveis pela doença maníaco-depressiva.

Como o conhecimento científico da doença maníaco-depressiva basicamente deve tanto ao campo da biologia molecular, esse é um universo em que venho passando cada vez mais tempo. É um mundo exótico, que se desenvolveu em torno de uma estranha seleção de plantas e animais – o milho, a mosca-das-frutas, o levedo, as minhocas, os camundongos, os seres humanos, os baiacus – e que abriga um sistema de linguagem algo estranho, de rápida evolução e ocasionalmente poético, repleto de termos maravilhosos como "clones órfãos", "plasmídios" e "cosmídios de alta densidade"; "tripla hélice," "*untethered DNA*" (DNA desatrelado) e "reagentes camicase"; "*chromosome walking*" (passeios de cromossomos), "caçadores de genes" e "mapeadores de genes". Trata-se de um campo nitidamente em busca do mais fundamental dos conhecimentos, uma busca pelo equivalente biológico dos quarks e leptons.

O congresso em que Watson estava irrequieto, a espiar e bocejar, enfocava especificamente a origem genética da doença maníaco-depressiva, com a intenção de reunir psiquiatras clínicos, especialistas em genética e biólogos moleculares, todos os quais estão de uma forma ou de outra envolvidos ativamente na pesquisa para descobrir os genes responsáveis pela doença maníaco-depressiva, a fim de que eles troquem informações sobre seus métodos de pesquisa, suas descobertas e as árvores genealógicas das famílias afetadas, cujo material genético está sendo analisado. Uma linhagem após a outra estava sendo projetada na tela, algumas com relativamente poucos membros doentes na família, outras contendo grande número de quadrados ou círculos pintados de preto, indicativos de homens ou mulheres que sofriam da doença maníaco-depressiva. Círculos e quadrados pintados de preto pela metade descreviam a doença depressiva; e um *s*, uma cruz ou uma barra inclinada assinalavam indivíduos que haviam cometido suicídio. Cada um desses símbolos pintados de preto totalmente ou pela metade representava uma vida com períodos de sofrimento terrível; e no entanto, por ironia, quanto maior o número de quadrados e círculos escurecidos numa família, "melhor" era considerada a linhagem (em termos de maior utilidade e informação genética). Quando dei uma olhada pelo recinto, pareceu muito provável que, entre esses cientistas e em algum ponto dentro daquelas linhagens, seria encontrada a localização do gene ou genes responsáveis pela doença maníaco-depressiva. Era uma idéia estimulante porque, uma vez localizados os genes, é provável que disso decorra um diagnóstico precoce e muito mais preciso. E, também, um tratamento mais específico, mais seguro, menos problemático e mais eficaz.

    Os *slides* sumiram, as cortinas foram abertas e eu olhei lá para fora, para além de Jim Watson, para além das macieiras, e me lembrei de uma viagem que havia feito, há anos, descendo o Mississippi. Mogens Schou, um psiquiatra dinamarquês, que mais do que ninguém é responsável pela introdução do lítio como tratamento para a doença maníaco-depressiva, e eu havíamos resolvido perder um dia de sessões do encontro anual da Associação Americana de Psiquiatria e tirar proveito do fato de estarmos em Nova Orleans. Concluímos que a melhor maneira era dar um passeio de barco pelo Mississippi abaixo. O dia estava lindo e, depois de termos debatido uma quantidade de tópicos, Mogens virou-se para mim e me perguntou à queima-roupa por que *mesmo* eu estava estudando os transtornos do humor. Devo ter aparentado todo o pasmo e constrangimento que sentia porque ele, mudando a abordagem, disse: "Bem, por que eu não lhe digo o motivo pelo qual *eu* estudo os transtornos do humor?" Ele passou, então, a me falar de toda a doença depressiva e maníaco-depressiva na sua família, de como isso havia sido devastador e de como, por isso, anos atrás, ele procurava em desespero na literatura médica por algum tratamento novo, experimental. Quando o artigo de John Cade sobre o uso do lítio na mania aguda apareceu em 1949, numa obscura publicação médica australiana, Mogens apoderou-se dele e começou quase imediatamente os rigorosos testes clínicos necessários para estabelecer a eficácia e segurança do medicamento. Ele falou sem constrangimento da sua história familiar de doença mental e salientou que havia sido sua motivação profundamente pessoal que havia impulsionado praticamente toda a sua pesquisa. Ele deixou claro que suspeitava de que meu envolvimento na pesquisa clínica sobre a doença maníaco-depressiva tivesse motivações pessoais semelhantes.

    Sentindo-me um pouco encurralada, mas também aliviada, resolvi ser franca quanto à minha própria história e a da minha família. Em pouco tempo, nós dois estávamos desenhando nossas árvores genealógicas no avesso de guardanapos. Fiquei perplexa ao ver quantos dos meus quadrados e círculos eram assinalados ou assinalados com um ponto de interrogação embaixo (eu sabia, por exemplo, que meu tio-avô havia passado quase toda a sua vida adulta num hospício, mas não sabia qual havia sido seu diagnóstico). A doença maníaco-depressiva ocorria repetidamente, ao longo das três gerações que eu conhecia, no lado da família que pertencia ao meu pai. Asteriscos, representando tentativas de suicídio, pareciam um chão de estrelas. Em comparação, o lado da família que pertencia à minha mãe estava limpinho. Não teria sido necessário um observador muito astuto da natureza humana para descobrir que meus pais eram terrivelmente diferentes, mas aqui estava um exemplo muito palpável das suas diferenças e, de uma forma perfeitamente literal, em preto-e-branco. Mogens, que estava desenhando sua própria árvore genealógica, deu uma espiada por cima do meu ombro para ver o número de parentes afetados na minha árvore e logo admitiu, rindo, a "batalha dos quadradinhos pretos". Ele observou que o círculo que me representava estava todo pintado de preto e tinha um asterisco ao lado – como é incrível poder reduzir uma tentativa de suicídio a um simples símbolo! – e por isso conversamos muito sobre minha doença, sobre o lítio, seus efeitos colaterais e minha tentativa de suicídio.

 Conversar com Mogens foi extremamente útil, em parte porque ele me incentivou vigorosamente a usar minhas próprias experiências na minha pesquisa, nos trabalhos escritos e no ensino; e em parte porque para mim foi muito importante poder conversar com um professor experiente que não só tinha algum conhecimento das experiências pelas quais eu havia passado, mas que havia usado suas próprias experiências para criar uma diferença profunda nas vidas de centenas de milhares de pessoas. Incluindo-se a minha. Por piores que fossem as lutas que eu travara contra o lítio, estava dolorosamente claro para mim que sem ele eu já teria morrido há muito ou estaria internada nas enfermarias dos fundos de algum hospital público. Eu era uma das muitas pessoas que deviam a vida aos círculos e quadrados pretos na árvore genealógica de Schou.

O fato de a doença maníaco-depressiva ser genética traz consigo, o que não é de surpreender, emoções muito complicadas e geralmente difíceis. Num extremo, está a culpa e a vergonha terrível que os outros podem fazer a pessoa sentir. Há muitos anos, quando eu estava morando em Los Angeles, fui a um médico recomendado por um colega. Depois de me examinar e depois de descobrir que eu tomava lítio há muitos anos, ele me fez uma longa série de perguntas sobre minha história psiquiátrica. Ele também me perguntou se eu planejava ter filhos ou não. Tendo sido em geral tratada com inteligência e compaixão pelos meus médicos até aquele momento, eu não tinha nenhum motivo para ser menos do que franca a respeito da minha longa história de mania e depressão, embora eu também tivesse deixado claro que, no jargão, "eu respondia bem ao lítio". Disse-lhe que desejava muito ter filhos, o que imediatamente fez com que ele me perguntasse o que eu planejava fazer a respeito da ingestão do lítio durante a gravidez. Comecei a lhe dizer que para mim estava óbvio que os perigos da minha doença superavam de longe quaisquer problemas potenciais que o lítio pudesse causar ao feto em desenvolvimento e que, portanto, eu optaria por continuar com o lítio. Antes que eu terminasse, porém, ele me interrompeu para perguntar se eu sabia que a doença maníaco-depressiva era uma doença genética. Abafando por um instante um impulso de lhe relembrar que havia passado toda a minha vida profissional estudando a doença maníaco-depressiva e que, em todo caso, eu não era totalmente imbecil, respondi: "Claro que sim." A essa altura, numa voz gélida e imperiosa, que ainda ouço até hoje, ele declarou – como se fosse a verdade de Deus, que sem dúvida ele acreditava ser: "Você não deveria ter filhos. Você tem a doença maníaco-depressiva."

Senti náuseas, de uma forma total e inacreditável, e me senti profundamente humilhada. Com a determinação de resistir a provocações que me levariam, sem dúvida, ao que seria interpretado como comportamento irracional, perguntei-lhe se sua preocupação quanto à minha vontade de ter filhos tinha origem no fato de ele considerar que eu não seria uma mãe adequada ou simplesmente numa opinião sua de que o melhor era não pôr no mundo mais um maníaco-depressivo. Ignorando meu sarcasmo ou fingindo não percebê-lo, ele respondeu: "As duas coisas." Pedi-lhe que saísse da sala, vesti o resto da minha roupa, bati à porta do seu consultório, mandei que fosse para o inferno e fui embora. Atravessei a rua até meu carro, sentei-me, trêmula, e solucei até ficar exausta. A brutalidade tem muitas formas, e o que ele havia feito comigo não havia sido apenas brutal, mas uma atitude desinformada e pouco profissional. Ela me causou o tipo de dano permanente que só algo que vai tão fundo e tão rápido até o coração consegue causar. Por estranho que seja, nunca me havia ocorrido não ter filhos só porque eu tinha a doença maníaco-depressiva. Mesmo na mais negra das depressões, nunca me arrependi de ter nascido. É verdade que tive vontade de morrer, mas isso é especificamente diferente de se arrepender de ter nascido. De uma forma avassaladora, eu tinha uma enorme alegria por ter nascido, era grata pela vida e não podia imaginar não querer passar a vida para outra pessoa. Considerando-se todos os aspectos, eu havia tido uma existência maravilhosa – embora turbulenta e eventualmente horrível. É claro que eu tinha sérias preocupações. Como uma pessoa poderia não tê-las? Será que eu, por exemplo, seria capaz de cuidar direito dos meus filhos? O que aconteceria a eles se eu ficasse gravemente deprimida? Ou ainda muito mais assustador, o que lhes aconteceria se eu ficasse maníaca, se meu raciocínio fosse prejudicado, se eu me tornasse violenta ou incontrolável? Como seria ter de ver meus próprios filhos lutando contra a depressão, o desamparo, o desespero ou a insanidade se eles próprios adoecessem? Eu não os observaria com excesso de atenção à procura de sintomas ou confundiria suas reações normais à vida como sinais de doença? Todas essas eram questões sobre as quais eu havia pensado milhares de vezes, mas nunca, nem uma única vez, eu havia questionado a hipótese de *ter* filhos. E apesar da insensibilidade do médico que me examinou e que me disse que eu não deveria tê-los, eu teria adorado ter uma casa cheia de filhos, como David e eu um dia havíamos planejado. Só que as coisas não foram por esse caminho. David morreu. E Richard, o único homem depois da morte de David com quem eu quis ter filhos, já tinha três de um casamento anterior. Não ter meus próprios filhos é a única tristeza intolerável na minha vida. No entanto, e por muita felicidade, tenho dois sobrinhos e uma sobrinha – cada um maravilhoso e extraordinário ao seu próprio modo – e é indescritível quanto aprecio minha relação com eles. Ser tia é algo extremamente prazeroso, em especial se os sobrinhos e sobrinha forem ponderados, independentes, atenciosos, engraçados, inteligentes e criativos. É impossível não gostar da sua companhia. Meus sobrinhos, cujos interesses, como os do seu pai, se voltaram para o estudo da matemática e da economia, são rapazes tranqüilos, espirituosos, de pensamento independente, meigos e simpáticos. Minha sobrinha, que é bem mais nova, está agora com onze anos e, já tendo sido premiada num concurso de literatura nacional, está muito decidida a se tornar escritora. É freqüente encontrá-la enrodilhada numa poltrona, escrevendo à vontade, fazendo perguntas sobre palavras ou pessoas, cuidando dos seus bichos numerosos e variados ou mergulhando de cabeça numa discussão em família para defender seu ponto de vista. Ela é cheia de energia, sensível, original e tem uma capacidade desconcertante de defender suas idéias diante de uma cambada barulhenta e eloqüente de irmãos mais velhos, pais e diversos outros adultos. Não consigo imaginar o terrível vazio que existiria na minha vida sem essas três crianças.

De quando em quando, apesar da minha firme dedicação aos esforços científicos que estão sendo realizados para identificar os genes causadores da doença maníaco-depressiva, tenho minhas preocupações com o que a descoberta desses genes poderia de fato representar. É claro que, se da pesquisa genética em andamento resultarem diagnósticos melhores e mais precoces assim como tratamentos mais específicos e menos problemáticos, os benefícios para os pacientes da doença maníaco-depressiva, para suas famílias e para a sociedade serão extraordinários. Na realidade, é apenas uma questão de tempo para que esses benefícios estejam disponíveis. No entanto, quais são os perigos nos exames para diagnóstico pré-natal? Será que os futuros pais preferirão abortar fetos portadores dos genes da doença maníaco-depressiva, muito embora ela seja uma doença tratável? (Curiosamente, um estudo recente realizado no Johns Hopkins, que perguntava aos pacientes maníaco-depressivos e a seus cônjuges se abortariam ou não um feto afetado, revelou que pouquíssimos disseram que abortariam.) Estamos nos arriscando a tornar o mundo um lugar mais ameno, mais homogeneizado se nos livrarmos dos genes da doença maníaco-depressiva – um problema científico reconhecida e extraordinariamente complicado? Quais são os riscos para os que assumem riscos, aqueles indivíduos irrequietos que se unem a outros na sociedade para impulsionar as artes, os negócios, a política e a ciência? Será que os maníaco-depressivos, como a coruja pintada e o leopardo manchado, correm o risco de se tornar uma "espécie em extinção"?

Essas são questões éticas muito árduas, especialmente pelo fato de a doença maníaco-depressiva poder trazer vantagens tanto para o indivíduo quanto para a sociedade. Tanto nas manifestações mais graves quanto nas menos graves, a doença parece transmitir suas vantagens através não só da sua ligação com a imaginação e o temperamento artístico, mas também da sua influência sobre muitos cientistas eminentes, assim como sobre líderes políticos, militares, religiosos e do mundo dos negócios. Efeitos mais sutis – como os que afetam a personalidade, o estilo de raciocínio e a energia – também estão envolvidos, por ser ela uma doença comum, com um amplo espectro de expressões cognitivas, comportamentais e temperamentais. A situação fica ainda mais complicada pelo fato de que outros fatores ambientais, bioquímicos e genéticos (como a exposição a mudanças prolongadas ou significativas de iluminação, a redução pronunciada do sono, o parto, o uso de drogas ou álcool) podem ser pelo menos parcialmente responsáveis tanto pela doença quanto por características temperamentais e cognitivas associadas às grandes realizações. Essas questões éticas e científicas são verdadeiras. Felizmente, elas estão sendo consideradas com atenção pelo *Genome Project* do governo federal e por outros grupos de cientistas e de estudiosos da ética. Trata-se, porém, de problemas imensamente inquietantes, que continuarão a sê-lo ainda por muitos anos.

A ciência mantém-se bastante notável na sua capacidade de levantar novos problemas enquanto resolve os antigos. Ela se move com rapidez, freqüentemente com beleza, e com seu movimento traz altas expectativas nas suas águas.

Sentada numa das poltronas duras e desconfortáveis que são tão características das conferências médicas, eu estava meio esquecida do mundo. Minha mente estava em suspenso depois de ter sido acalentada até um estado hipnótico leve pelo constante clicar da mudança dos *slides* no carrossel. Meus olhos estavam abertos, mas meu cérebro oscilava suavemente na sua rede, enfurnado nos confins do meu crânio. Estava escuro e abafado no salão, mas lá fora nevava e estava lindo. Um grupo de colegas meus e eu estávamos nas Montanhas Rochosas no Colorado, e qualquer um que tivesse um mínimo de bom-senso estaria esquiando. Mesmo assim, havia mais de cem médicos no salão, e os *slides* não paravam de clicar. Flagrei-me pensando, pela milésima vez, que ser louco não significava necessariamente ser imbecil, e afinal o que é que eu estava fazendo ali dentro em vez de estar lá fora nas encostas? De repente, agucei os ouvidos. Uma voz monótona, de uma objetividade entorpecedora, proferia palavras indistintas sobre a apresentação de uma "atualização sobre as anormalidades estruturais do cérebro na doença bipolar". Meu cérebro estruturalmente anormal ficou alerta, e um calafrio percorreu minha espinha. A voz prosseguia. "Nos pacientes bipolares que estudamos, há um número significativamente maior de pequenas áreas de hiperintensidades de sinais focais [áreas de concentração aumentada de água] sugestivas de tecido anormal. Elas são aquilo a que os neurologistas costumam se referir como 'objetos brilhantes não identificados' ou OBNIs." A platéia riu com gosto. Eu, que não podia me permitir mais nenhuma perda de tecido cerebral – só Deus sabe quantos pedacinhos de massa cinzenta haviam passado desta para melhor depois da minha ingestão excessiva e quase letal de lítio, – ri com um entusiasmo um pouco menor. O orador prosseguiu. "A importância médica desses OBNIs ainda não está clara, mas sabemos que eles estão associados a outras enfermidades, como por exemplo a doença de Alzheimer, a esclerose múltipla e a demência multiinfarto." Eu tinha razão; eu devia ter ido esquiar. Contrariando meu bom-senso, voltei a cabeça para a tela. Os *slides* eram irresistíveis e, como sempre, fiquei fascinada pelo incrível detalhamento da estrutura do cérebro que foi revelado pelas versões mais recentes das técnicas da ressonância nuclear magnética. Há uma beleza e uma atração intuitiva nos métodos de exploração do cérebro, especialmente as imagens de ressonância nuclear magnética de alta resolução e as belíssimas imagens multicores dos exames de tomografia (PET). Com PET, por exemplo, um cérebro deprimido aparece nas cores frias, verde-garrafa, roxo-escuro e azuis profundos, da inatividade cerebral; o mesmo cérebro, quando em hipomania, já aparece iluminado como árvore de Natal, com trechos brilhantes de laranjas, amarelos e vermelhos cheios de vida. Nunca a cor e a estrutura da ciência captaram de modo tão completo a fria morte interior da depressão ou o envolvimento vibrante e vigoroso da mania.

Na neurociência moderna, há um tipo fantástico de emoção, uma sensação romântica, como a de andar na Lua, de exploração e estabelecimento de novas fronteiras. A ciência é elegante; os cientistas, de uma juventude desconcertante; e o ritmo das descobertas, absolutamente espantoso. Como os especialistas em biologia molecular, os exploradores do cérebro geralmente têm uma boa conscientização das fronteiras que estão atravessando; e seria preciso ter uma cabeça totalmente vazia ou um coração de pedra para não se comover com suas iniciativas e entusiasmos coletivos.

A contragosto, fiquei encantada com a ciência, perguntando-me se essas hiperintensidades eram a causa ou o efeito da doença, se elas se acentuavam com o tempo, em que ponto do cérebro elas se localizavam, se estavam relacionadas com os problemas de orientação espacial e reconhecimento de rostos que eu e muitos outros maníaco-depressivos vivenciam, e se crianças no grupo de risco de ter a doença maníaco-depressiva, porque um dos pais sofria dela, ou os dois, demonstrariam essas anormalidades cerebrais mesmo antes de a doença se manifestar. O lado clínico da minha cabeça começou a ruminar sobre as vantagens visuais dessas e de outras descobertas ilustrativas para convencer alguns dos meus pacientes mais literários e céticos dos fatos de que (a) *existe* uma coisa chamada cérebro, (b) suas variações de humor estão relacionadas com seus cérebros e (c) podem ocorrer efeitos específicos de danos ao cérebro decorrentes da interrupção da medicação. Essas especulações me perturbaram algum tempo, como costuma acontecer quando se sai do lado pessoal de ter a doença maníaco-depressiva para entrar no papel profissional de tratar dela. Invariavelmente, porém, as preocupações e interesses pessoais voltaram.

Quando retornei ao Johns Hopkins, onde estava agora ensinando, cerquei meus colegas da neurologia e crivei de perguntas aqueles que estavam realizando os estudos de ressonância magnética. Corri para a biblioteca e me atualizei com tudo o que se sabia. Afinal de contas, uma coisa é ter a crença intelectual de que essa doença está no seu cérebro; outra bem diferente é vê-la de fato. Mesmo os títulos de alguns dos artigos eram um pouco perturbadores: "Volumes dos gânglios da base e hiperintensidades de substância branca em pacientes com transtorno bipolar", "Anormalidades estruturais do cérebro no transtorno afetivo bipolar: alargamento ventricular e hiperintensidades de sinais focais", "Anormalidades subcorticais detectadas em transtornos afetivos bipolares, com o uso de imagens de ressonância nuclear magnética"; e assim por diante. Sentei-me para ler. Um dos estudos descobriu que "Dos 32 exames com pacientes com disfunção bipolar, 11 (34,4%) apresentavam hiperintensidades, enquanto apenas um exame (3,2%) do grupo normal de comparação continha esse tipo de anormalidade."

Depois de um risinho interior de desdém pelo "grupo normal de comparação", continuei minha leitura e descobri que, como costuma ocorrer nos campos novos da medicina clínica, havia muito mais perguntas do que respostas, e não estava claro o que qualquer dessas conclusões realmente significava. Elas poderiam ser decorrentes de problemas de avaliação; poderiam ser explicadas pela história dietética ou de tratamentos; poderiam ser devidas a algum fator totalmente independente da doença maníaco-depressiva; poderia haver uma infinidade de explicações. Eram grandes as chances, porém, de que os OBNIs tivessem *algum* significado. Mesmo assim, de uma forma estranha, depois da leitura de uma longa série de estudos, acabei mais tranqüilizada e menos assustada. O próprio fato de a ciência estar avançando com tanta rapidez de certa forma gerava esperanças; e, se as alterações na estrutura do cérebro realmente se revelassem significativas, eu estava feliz com o fato de pesquisadores de primeira linha as estarem estudando. Sem a ciência, não haveria nenhuma esperança semelhante. Absolutamente nenhuma.

E, fosse como fosse, sem dúvida aquilo dava um novo significado ao conceito de perder a cabeça.

Licença para Clinicar

Não há uma forma fácil de contar aos outros que se tem a doença maníaco-depressiva. Se ela existe, ainda não a encontrei. Por isso, apesar do fato de a maioria das pessoas com quem falei ter sido muito compreensiva – alguns de uma forma extraordinária – não deixo de me assombrar com aquelas ocasiões em que a reação foi indelicada, teve ares de condescendência ou foi carente de sequer um arremedo de empatia. A idéia de debater minha doença num foro mais público foi, até há bem pouco tempo, quase inconcebível. Grande parte dessa relutância foi por motivos profissionais, mas um pouco se deveu à crueldade, proposital ou não, que ocasionalmente experimentei por parte de amigos ou colegas em quem decidi confiar. É aquilo que acabei considerando, não sem certo rancor, o fator Coração-de-rato.

Coração-de-rato, um ex-colega meu em Los Angeles, era também um amigo, pensava eu. Psicanalista de voz suave, ele era alguém com quem eu estava acostumada a me reunir para tomar um café pela manhã. Com freqüência menor, mas com prazer, saíamos para um longo almoço e para conversar sobre nossas vidas e sobre o trabalho. Depois de algum tempo, comecei a sentir o constrangimento habitual que costumo sentir sempre que se atinge um certo nível de amizade ou de intimidade num relacionamento, sem que minha doença tenha sido mencionada. Ela não é, afinal de contas, apenas uma doença, mas é algo que afeta cada aspecto da minha vida: meus humores, meu temperamento, meu trabalho e minha reação a praticamente tudo que surge no meu caminho. Não falar na doença maníaco-depressiva, mesmo que para debatê-la apenas uma vez, geralmente confere à amizade um certo tom inevitável de superficialidade. Com um suspiro interno, resolvi ir em frente e falar com ele.

Estávamos num restaurante à beira-mar em Malibu, na ocasião; e, depois de uma breve resenha sobre minhas manias, depressões e sobre a tentativa de suicídio, fixei o olhar numa pilha distante de rochas no oceano e esperei pela sua resposta. Foi uma espera longa e fria. Afinal, percebi lágrimas escorrendo-lhe pelo rosto e, embora eu me lembre de ter pensado na ocasião que era uma reação extrema – especialmente pelo fato de eu ter apresentado minhas manias com a maior despreocupação possível e minhas depressões com algum distanciamento – considerei comovente que ele sentisse tanta emoção diante do que eu havia passado.

Foi então que Coração-de-rato, enxugando as lágrimas, me disse que simplesmente não podia acreditar. Disse estar "profundamente decepcionado". Ele havia imaginado que eu fosse tão maravilhosa, tão forte. Como eu *podia* ter tentado me suicidar? No que eu estava pensando na hora? Era um ato tão covarde, tão egoísta.

Para meu horror, percebi que ele estava falando sério. Fiquei absolutamente petrificada. Sua dor ao saber que eu tinha a doença maníaco-depressiva era, aparentemente, muito pior do que a minha por ter de fato a doença. Durante alguns minutos, eu me senti como *Typhoid Mary**. Em seguida, eu me senti traída, profundamente envergonhada e totalmente exposta. É claro que sua solicitude não tinha limites. Eu havia *mesmo* ficado psicótica? Nesse caso, perguntou ele em voz baixa, com uma preocupação aparentemente infinita, eu realmente pensava, considerando-se as circunstâncias, que ia ser capaz de lidar com os estresses da vida acadêmica? Salientei para ele, entre dentes, que eu na realidade já lidava com esses estresses específicos há muitos anos; e, no fundo, para dizer a verdade, eu era bem mais nova do que ele e havia publicado uma quantidade consideravelmente maior de trabalhos. Realmente não me lembro de grande parte do resto do almoço, a não ser que foi uma tortura e que a certa altura, com um sarcasmo que conseguiu não afetá-lo, eu

---

* *Typhoid Mary* era o apelido de uma cozinheira irlandesa nos E.U.A. na década de 1930, que era portadora da bactéria causadora da febre tifóide. O termo designa alguém a partir de quem algo de indesejável se propaga. (N. da T.)

lhe disse que ele não deveria se preocupar, que a doença maníaco-depressiva não era contagiosa (embora ele bem que poderia ter se beneficiado com um pouquinho de mania, dada sua visão de mundo enfadonha, obsessiva e carente de humor). Ele se contorceu na cadeira e desviou os olhos.

Na manhã do dia seguinte chegou ao meu ambulatório uma dúzia de rosas vermelhas de haste longa numa caixa. Uma desprezível nota de desculpas estava enfiada no alto. Suponho que tenha sido uma idéia gentil, mas ela nem conseguiu começar a curar o ferimento provocado pelo que eu sabia ter sido uma reação franca por parte dele. Ele era normal, eu não, e – naquelas palavras mais arrasadoras – ele estava "profundamente decepcionado".

Há muitos motivos pelos quais relutei em me abrir acerca da doença maníaco-depressiva. Alguns desses motivos são pessoais; muitos são de natureza profissional. As questões pessoais giram, em grande proporção, em torno da privacidade da família – especialmente porque a doença em questão é genética – e em torno da opinião de que os assuntos pessoais deveriam se manter pessoais. Além disso, eu me preocupei, talvez indevidamente, com a forma pela qual o conhecimento de que eu tenho a doença maníaco-depressiva irá afetar a percepção que as pessoas têm de quem eu sou e do que eu faço. Há uma distinção sutil entre o que é considerado maluquice e o que é considerado "inadequado" – palavra horrenda porém condenatória – e apenas um fio separa o fato de se ser considerado cheio de entusiasmo ou um pouco inconstante e ser rotulado pejorativamente de "instável". E, não sei por que motivos de vaidade pessoal, receio que minha tentativa de suicídio e minhas depressões sejam consideradas por algumas pessoas como atos de fraqueza ou "neuróticos". De certo modo, não me incomoda a idéia de ser encarada como psicótica intermitente tanto quanto me incomoda ser classificada como fraca e neurótica. Finalmente, tenho uma profunda desconfiança de que, ao falar em público ou escrever sobre aspectos tão especialmente particulares da minha vida, um dia voltarei a eles e os descobrirei desprovidos de significado e sentimento. Ao me pôr na posição de falar com liberdade e freqüência excessivas, fico preocupada com a possibilidade de que as experiências se tornem remotas, inacessíveis e muito distantes, no passado. Temo que as experiências deixem de ser minhas e se tornem as de alguma outra pessoa.

No entanto, minhas principais preocupações quanto ao debate sobre minha doença tenderam a ser de natureza profissional. No início da minha carreira, elas se concentravam no medo de que o Conselho de Examinadores Médicos da Califórnia não me concedesse uma licença se fosse do seu conhecimento que eu tinha a doença maníaco-depressiva. Com o passar do tempo, reduziu-se meu medo desse tipo de ato administrativo – basicamente porque eu havia criado um sistema bastante sofisticado de salvaguardas clínicas, havia contado aos meus colegas mais íntimos e havia discutido *ad nauseam* com meu psiquiatra toda contingência concebível bem como a melhor maneira de amenizá-la – mas cada vez me preocupava mais a possibilidade de que meu anonimato profissional no ensino e na pesquisa, como tal, pudesse ser prejudicado. Na UCLA, por exemplo, eu ensinava e supervisionava grandes números de residentes de psiquiatria e internos de psicologia no ambulatório que dirigia. No Johns Hopkins ensino residentes e estudantes de medicina nas enfermarias de pacientes internados e no ambulatório de transtornos do humor. Apavora-me a idéia de que esses residentes e internos, em deferência ao que eles considerem ser meus sentimentos, possam não dizer o que realmente pensam ou não fazer as perguntas que, se não fosse assim, eles deveriam fazer ou fariam naturalmente.

Muitas dessas questões acabam chegando à minha pesquisa e aos meus trabalhos escritos. Escrevi extensamente para revistas médicas e científicas sobre a doença maníaco-depressiva. Será que meu trabalho agora vai ser encarado pelos meus colegas como até certo ponto influenciado pela minha doença? É uma idéia perturbadora, embora uma das vantagens da ciência seja a de que o trabalho de qualquer pessoa, em último instância, ou é repetido, ou não é. Em virtude desse fato, as preferências pessoais costumam ser minimizadas ao longo do tempo. Eu me preocupo, porém, com a reação dos meus colegas uma vez revelada minha doença. Se, por exemplo, eu comparecer a um encontro científico e fizer uma pergunta ou questionar um orador, minha intervenção será tratada como a de alguém que estudou os transtornos do humor e tratou deles por muitos anos? Ou, em vez disso, será que minhas palavras vão ser encaradas como uma opinião altamente subjetiva e idiossincrática de alguém com um interesse pessoal? É uma perspectiva assustadora a de renunciar ao manto da objetividade acadêmica. É claro, porém, que meu trabalho *foi* mesmo tremendamente influenciado pelas minhas emoções e experiências. Elas afetaram profundamente meu ensino, meu trabalho de conscientização, minha prática clínica, e o que decidi estudar: a doença maníaco-depressiva em geral e, mais especificamente, o suicídio, a psicose, aspectos psicológicos da doença e seu tratamento, resistência à aceitação do lítio, características positivas da mania e da ciclotimia, bem como a importância da psicoterapia.

O mais importante, entretanto, na qualidade de clínica, foi ter de considerar a pergunta que Coração-de-rato conseguiu inserir com tanta habilidade na nossa conversa durante o almoço em Malibu. Eu *realmente* acredito que alguém com uma doença mental devesse ter permissão para tratar pacientes?

Quando saí da Universidade da Califórnia no inverno de 1986 para voltar a Washington, estava ansiosa para continuar a ensinar e obter uma posição acadêmica na escola de medicina de alguma universidade. Richard, que havia estudado medicina no Johns Hopkins, achou que eu iria adorar o hospital. Por sua sugestão, candidatei-me a uma vaga no corpo docente do Departamento de Psiquiatria, e comecei a ensinar no Hopkins alguns meses depois de ter me mudado para o leste. Richard tinha razão. Adorei o Hopkins de imediato. E, como ele havia previsto, um dos muitos prazeres que encontrei ao participar do seu corpo docente foi a seriedade com que são encaradas as funções do ensino. O nível de excelência do atendimento clínico era mais um prazer. Era apenas uma questão de tempo. Fatalmente seria levantado o assunto da licença para clinicar.

Com a costumeira sensação de profundo constrangimento que, para mim, acompanha a obrigação de examinar formulários oficiais de contratação de hospitais, fiquei olhando para a pilha de documentos diante de mim. Em imponentes letras maiúsculas THE JOHNS HOPKINS HOSPITAL estava escrito no alto da página. Numa passada de olhos mais abaixo, vi que era, como eu havia esperado, um formulário de solicitação de licença para clinicar. Com a maior das esperanças, mas preparada para o pior, resolvi me encarregar primeiro de todas as perguntas diretas. Marquei "não" rapidamente numa longa série de perguntas sobre responsabilidade profissional, seguro contra imperícia e sanções profissionais. Durante o período da solicitação anterior, eu me havia envolvido em algum processo que envolvesse imperícia ou responsabilidade profissional? Havia alguma restrição ou limitação na cobertura do meu seguro contra imperícia? Minha permissão para clinicar havia alguma vez sido limitada, suspensa, submetida a quaisquer condições, períodos de experiência, censura formal ou informal? Ela alguma vez não havia sido renovada, ou havia sido revogada? Eu alguma vez havia sido submetida a alguma ação disciplinar em alguma organização médica? Havia alguma ação disciplinar pendente contra mim?

Graças a Deus, essas perguntas eram fáceis, já que eu até então havia conseguido, numa era ridículamente propensa aos litígios, evitar ser processada por imperícia. Foi a seção seguinte, "Informações Pessoais," que fez meu coração disparar. E, de fato, logo descobri a pergunta que ia exigir mais do que apenas uma marcação na coluna do "não".

Você atualmente está sofrendo de alguma deficiência ou doença, incluindo-se o abuso de drogas ou de álcool, que prejudicaria o bom desempenho dos seus deveres e responsabilidades neste hospital, ou está recebendo tratamento para isso?

Cinco linhas adiante, vinha a cláusula fatídica.

Tenho plena compreensão de que quaisquer declarações equivocadas ou omissões significativas neste formulário podem constituir motivo para negação da nomeação ou para demissão sumária da equipe médica.

Voltei a ler a pergunta do "Você atualmente está sofrendo...", pensei naquilo tudo por muito tempo e finalmente escrevi ao lado "Conforme conversa com o diretor do Departamento de Psiquiatria". Depois, com uma sensação de vazio no estômago, liguei para meu diretor no Hopkins e perguntei se podíamos almoçar juntos.

Cerca de uma semana depois, nós nos encontramos no restaurante do hospital. Ele estava falante e divertido como sempre, e passamos alguns minutos agradáveis atualizando nosso conhecimento das atividades do departamento, do ensino, das bolsas de pesquisa e da política psiquiátrica. Com as mãos firmes no colo e o coração preso na garganta, falei-lhe do formulário de solicitação de licença para clinicar, da minha doença maníaco-depressiva e do tratamento que estava fazendo. Meu colega mais próximo no Hopkins já sabia da minha doença, porque eu sempre me abria com aqueles médicos com quem trabalhava mais. Na UCLA, por exemplo, eu havia debatido minha doença em detalhes com o médico que, comigo, havia instalado a Clínica de Transtornos Afetivos da UCLA e, subseqüentemente, com o médico que havia sido o diretor-médico do ambulatório durante praticamente todos os anos em que fui diretora. Meu chefe na UCLA também sabia que eu estava recebendo tratamento para a doença maníaco-depressiva. Naquela época eu era da opinião, como continuo sendo, de que deveria haver salvaguardas preparadas para a eventualidade de que meu raciocínio clínico fosse prejudicado pela mania ou pela depressão severa. Se eu não lhes contasse, não era só o atendimento aos pacientes que seria comprometido, mas eu também estaria deixando meus colegas numa posição insustentável de risco tanto profissional quanto legal.

    Esclareci a cada um dos médicos com quem trabalhava mais que eu estava aos cuidados de um psiquiatra excelente, que tomava a medicação e que não tinha nenhum problema de abuso de álcool ou drogas. Também lhes disse que se sentissem à vontade para fazer ao meu psiquiatra quaisquer perguntas que lhes parecessem necessárias sobre minha doença e minha competência para clinicar (meu psiquiatra, por sua vez, foi solicitado a comunicar, tanto a mim quanto a qualquer outra pessoa que ele considerasse necessário, se ele tivesse qualquer preocupação a respeito do meu discernimento clínico). Meus colegas concordaram que, se tivessem quaisquer dúvidas sobre meu discernimento clínico, eles me informariam diretamente, providenciariam minha retirada imediata de quaisquer compromissos de atendimento a pacientes e avisariam ao meu psiquiatra. Creio que todos eles, numa ocasião ou noutra, falaram com meu psiquiatra a fim de obter informações sobre minha doença e o tratamento. Felizmente, nenhum jamais precisou entrar em contato com ele em decorrência de preocupações quanto ao meu desempenho clínico. Nem eu precisei jamais renunciar à minha licença para clinicar, embora tenha, por minha própria conta, cancelado ou adiado consultas quando fui da opinião de que isso seria no melhor dos interesses dos pacientes.

Tive sorte e fui cuidadosa. Sempre existe a possibilidade de que minha doença, ou a doença de qualquer médico, possa interferir no discernimento clínico. As perguntas sobre licenças para clinicar em hospitais nunca são injustas, nem impertinentes. Eu não gosto de ter de respondê-las, mas elas são perfeitamente razoáveis. O privilégio* de poder clinicar é exatamente isso, um privilégio. Não é um direito. O verdadeiro perigo decorre, naturalmente, daqueles médicos (ou, na realidade, políticos, pilotos, homens de negócios ou outros indivíduos responsáveis pela vida e pelo bem-estar de outros) que – por causa do estigma, do medo da suspensão dos seus privilégios ou da expulsão da faculdade de medici-

---

* Ver nota na p. 8.

na, da graduação ou da residência – hesitam em procurar tratamento psiquiátrico. Sem tratamento, ou sem supervisão, muitos adoecem, pondo em risco não só as suas vidas mas as de outras pessoas. É freqüente que, numa tentativa de mitigar suas próprias alterações de humor, muitos médicos também se tornem alcoólatras ou dependentes de drogas. Não é raro que médicos deprimidos receitem medicamentos antidepressivos para si mesmos. Os resultados podem ser desastrosos.

Os hospitais e as associações profissionais precisam reconhecer até que ponto médicos, enfermeiros e psicólogos sem tratamento representam riscos para os pacientes que tratam. No entanto, elas também precisam estimular um tratamento eficaz e solidário além de elaborar diretrizes para salvaguardas e supervisão inteligente, não-paternalista. Distúrbios emocionais sem tratamento resultam em riscos não só para os pacientes mas para os próprios médicos. Um número excessivo de médicos – muitos dos quais excelentes – comete suicídio a cada ano. Um estudo recente concluiu que, até há bem pouco tempo, os Estados Unidos perdiam anualmente o equivalente a uma turma de formandos de uma escola de medicina de tamanho médio exclusivamente por suicídio. A maioria dos suicídios de médicos é devida à depressão ou à doença maníaco-depressiva, duas enfermidades perfeitamente tratáveis. Os médicos, infelizmente, além de sofrerem de uma incidência mais alta de transtornos do humor do que a população em geral, também têm um acesso maior a meios muito eficazes para o suicídio.

É claro que os médicos precisam em primeiro lugar curar a si mesmos; mas eles também precisam de tratamento competente e acessível que lhes permita a cura. O sistema médico e administrativo que os abriga deve ser um sistema que incentive o tratamento, que forneça diretrizes razoáveis para a prática supervisionada, mas também que não tolere a incompetência nem comprometa o atendimento ao paciente. Os médicos, como gosta de salientar meu diretor, existem para tratar pacientes. Os pacientes nunca deveriam ter de pagar – seja literalmente, seja em termos médicos – pelos problemas e sofrimentos dos seus médicos. Concordo plenamente com ele quanto a esse ponto. Por isso, era com certa apreensão que eu esperava pela sua reação ao meu relato de que estava recebendo tratamento para a doença maníaco-depressiva bem como à minha afirmação de que precisava conversar com ele sobre a questão da minha licença para clinicar no hospital. Eu observava seu rosto à procura de algum indício de como ele se sentia. De repente, ele estendeu a mão por cima da mesa, segurou a minha e sorriu. "Kay, querida, eu *sei* que você é maníaco-depressiva." Ele fez uma pausa e deu uma risada. "Se fôssemos nos livrar de todos os maníaco-depressivos no corpo docente da escola de medicina, não só teríamos um corpo docente muito menor, mas também muito mais entediante."

Uma Vida Rica em Humores

Nós todos somos, como disse Byron, organizados de modo diferente. Cada um de nós se move dentro das limitações do seu temperamento e preenche apenas parcialmente suas possibilidades. Trinta anos de convivência com a doença maníaco-depressiva me deixaram cada vez mais consciente tanto das limitações quanto das possibilidades que a acompanham. A sensação mortal, sombria, ameaçadora que tive quando era pequena ao ver que a limpidez e a altura dos céus se enchiam de fumaça e chamas *está* sempre comigo, de algum modo entretecida na beleza e na vitalidade da vida. A escuridão é parte integrante de quem eu sou, e não é preciso nenhum esforço de imaginação de minha parte para que eu me lembre dos meses de exaustão e trevas implacáveis, ou dos tremendos esforços necessários para que eu pudesse ensinar, ler, escrever, atender pacientes e manter relacionamentos. Encobertas numa camada mais profunda, mas infelizmente invocadas com extrema facilidade ao primeiro sinal de depressão, estão as imagens inesquecíveis de violência, de loucura total, comportamento mortificante e alterações de humor, desvairadas na sua vivência e de uma brutalidade ainda mais perturbadora nos efeitos exercidos sobre os outros.

No entanto, apesar de essas lembranças e essas alterações de humor terem sido verdadeiramente horrendas, elas sempre foram compensadas pela animação e vitalidade de outras. E, sempre que uma onda branda e suave de um entusiasmo maníaco brilhante e esfuziante me domina, sou transportada por sua exuberância – exatamente como se é transportado por um aroma forte que nos leva a um universo de recordações profundas – a tempos antigos, mais intensos e apaixonados. A vitalidade que a mania infunde nas nossas experiências de vida cria estados poderosos, de lembranças penetrantes, como deve acontecer com a guerra, e sem dúvida acontece com o amor e as lembranças da infância. Por isso, o que existe agora para mim é uma troca bastante agridoce de um passado perturbado mas vivido com intensidade por uma existência presente confortável e acomodada.

Ainda há eventuais sereias nesse passado; e persiste um desejo cheio de sedução, embora cada vez mais raro, de recriar o furor e a febre dos tempos de outrora. Olho para trás por cima do ombro e sinto a presença de uma menina animada e depois de uma moça instável e perturbada, as duas com altos sonhos e aspirações românticas e inquietas. Como seria possível, ou será que se deveria, captar novamente aquela animação ou voltar a vivenciar os estados gloriosos de dançar a noite inteira e pela manhã adentro, deslizar pelos campos de estrelas e dançar nos anéis de Saturno, os loucos entusiasmos da mania? Como seria possível um dia trazer de volta os longos dias apaixonados de verão, a lembrança dos lilases, do êxtase e de *gin fizzes* que se derramavam sobre um muro de jardim? E as gargalhadas descontroladas que duravam até o sol nascer ou a polícia aparecer?

Para mim, há uma mistura de saudades de uma época anterior. Talvez isso seja inevitável em qualquer vida, mas, além disso, há uma nostalgia quase dolorosa derivada de ter vivido uma vida particularmente rica em humores. Isso dificulta ainda mais a tarefa de deixar o passado para trás; e a vida, de vez em quando, passa a ser uma espécie de elegia pela animação perdida. Sinto falta das fortes emoções que se foram, e me descubro procurando segurá-las, como de vez em quando minha mão procura o peso e o volume do cabelo comprido e cheio que não tenho mais. Como a lembrança das emoções, só resta o fantasma do peso. Essa saudade atual é, em grande parte, apenas isso, saudade; e eu não sinto a compulsão de reviver as emoções fortes. As conseqüências são por demais assustadoras, definitivas e nefastas.

Mesmo assim, é poderosa a atração daqueles estados de ânimo desenfreados e intensos; e o velho diálogo entre a razão e os sentidos é quase sempre resolvido de modo mais interessante e apaixonado quando se favorecem os sentidos. As manias mais brandas têm um jeito de prometer – e por um período curtíssimo proporcionar – primaveras no inverno e vitalidades memoráveis. À luz fria do dia, porém, a realidade e o poder de destruição da doença reanimada costumam amortecer a evocação de uma lembrança tão seletiva de momentos agradáveis, fortes, saudosos. Qualquer tentação que eu possa agora ter de voltar a captar esses estados de ânimo através da mudança da medicação recebe rapidamente um jato de água fria decorrente do conhecimento de que uma emoção agradável logo se transforma primeiro em emoção frenética e depois acaba em insanidade descontrolada. Tenho tanto pavor de voltar a ficar morbidamente deprimida ou maníaca de uma forma virulenta – qualquer desses dois estados, por sua vez, destroçaria todos os aspectos da minha vida, dos meus relacionamentos e do meu trabalho que tenho como mais significativos – que não considero com seriedade qualquer modificação no meu tratamento médico.

Embora eu me sinta basicamente otimista quanto a continuar bem de saúde, conheço minha doença de uma quantidade suficiente de pontos diferentes de observação para ter uma visão bem fatalista quanto ao futuro. Conseqüentemente, sei que presto atenção a conferências sobre novos tratamentos para a doença maníaco-depressiva com um interesse muito mais do que apenas profissional. Sei também que, quando estou fazendo visitas didáticas a outros hospitais, costumo visitar suas enfermarias psiquiátricas, examinar seus quartos de isolamento e instalações para a terapia de eletrochoque, passeio pelos jardins do hospital e faço minha própria avaliação interna de onde eu preferiria estar se tivesse de ser hospitalizada. Há sempre uma parte da minha cabeça que se prepara para o pior, e outra parte que acredita que, se eu me preparar bem, o pior não acontecerá. Muitos anos de convivência com as revoluções cíclicas da doença maníaco-depressiva me tornaram mais filosófica, mais preparada e mais capaz para lidar com as inevitáveis oscilações de energia e de humor pelas quais optei ao tomar uma dose menor de lítio. Concordo em gênero, número e grau com a visão de Eliot, ecoando o Eclesiastes, de que há um tempo para tudo, um tempo para construir e "um tempo para que o vento quebre a vidraça solta". Portanto, eu agora me movimento com maior facilidade em meio às marés inconstantes de energia, idéias e entusiasmos às quais continuo tão sujeita. De quando em quando, minha mente ainda se transforma num parque de diversões de luzes, risos, sons e possibilidades. O riso, a exuberância e a espontaneidade me preenchem e acabam derramando sobre os outros. Esses momentos gloriosos, cintilantes, duram algum tempo, um período breve, e passam. Minhas altas esperanças e emoções, depois de andar rapidamente pela parte mais alta da roda-gigante, tão de repente quanto surgiram, voltam a mergulhar numa massa exausta, cinzenta e negra. O tempo passa; esses estados de espírito passam; e eu acabo voltando a ser eu mesma. E depois, em alguma hora inesperada, o eletrizante parque de diversões volta à minha cabeça.

Essas idas e vindas, esses estados de graça e de descrença, tornaram-se parte tão integrante da minha vida que as cores e os sons desordenados parecem menos estranhos e menos fortes; e os negros e os cinzas que inevitavelmente se seguem são, na mesma medida, menos escuros e menos assustadores. "Debaixo daqueles astros", disse Melville um dia, "existe um universo de monstros furtivos." No entanto, com o tempo, acabamos defrontando com muitos dos monstros, e cada vez sentimos menos pavor daqueles que ainda estamos por encontrar. Embora eu continue a ter recorrências das minhas antigas manias de verão, elas foram esvaziadas não só da maior parte do terror, mas da maior parte da sua antiga beleza indescritível e agitação gloriosa também. Desaceleradas pelo tempo, moderadas por uma longa série de experiências estafantes e subjugadas pela medicação, elas agora se aglutinam, a cada mês de julho, em breves crepitações, eventualmente perigosas, de fossas sombrias e altas paixões. E essas também passam. Sai-se dessas experiências com uma sensação mais abrangente da morte, e da vida. Tendo ouvido tantas vezes, e com tanta convicção, o sino de John Donne a dobrar baixinho dizendo que "Tu morrerás", a pessoa se volta com mais energia para a vida, com uma urgência e uma capacidade de apreciação que de outro modo não existiriam.

Nós todos construímos diques para manter a distância as tristezas da vida e as forças muitas vezes avassaladoras que atuam nas nossas mentes. Não importa a maneira pela qual fazemos isso – amor, trabalho, família, fé, amigos, negação, álcool, drogas ou medicamentos – construímos esses diques, pedra por pedra, ao longo da vida inteira. Um dos problemas mais difíceis está em construir essas barreiras com uma altura e uma resistência tais que se tenha um verdadeiro abrigo, um santuário afastado da dor e do tumulto frustrante, e que ele seja permeável o suficiente para permitir a renovação da água do mar que impedirá a inevitável tendência para a água salobra. Para uma pessoa com minhas características de temperamento e mente, a medicação é um elemento essencial desse dique. Sem ela, eu estaria constantemente sujeita aos movimentos esmagadores de um mar mental. É inquestionável que eu já estaria morta ou louca.

No entanto, o amor é para mim, em última análise, a parte mais extraordinária desse quebra-mar. Ele ajuda a deixar de fora o pavor e o desconforto ao mesmo tempo que permite a entrada da vida, da beleza e da vitalidade. Quando tive a idéia de escrever este livro, eu o concebi como um livro sobre humores e sobre uma doença dos humores no contexto da vida de um indivíduo. Da forma como o escrevi, porém, ele acabou se revelando um livro sobre o amor também: o amor como apoio, como renovação, como proteção. Depois de cada morte aparente dentro da minha mente ou do meu coração, o amor voltou para recriar a esperança e restaurar a vida. No melhor dos casos, ele tornou suportável a tristeza inerente à vida; e manifesta, sua beleza. De modo inexplicável e parcimonioso, ele proporcionou não só o agasalho mas a lanterna para as horas mais escuras e o tempo mais inclemente.

Há muito tempo, abandonei a noção de uma vida sem tempestades, ou de um mundo sem estações secas e assassinas. A vida é por demais complicada, é constante demais nas suas mudanças para ser diferente do que realmente é. E eu sou, por natureza, instável demais para ter outra atitude a não ser a de uma profunda desconfiança diante da grave artificialidade inerente a qualquer tentativa de exercer um controle excessivo sobre forças essencialmente incontroláveis. Sempre haverá elementos perturbadores, propulsores; e eles estarão sempre presentes até o momento em que, nas palavras de Lowell, o relógio for retirado do pulso. No final das contas, são os momentos isolados de inquietude, de desolação, de fortes convicções e entusiasmos enlouquecidos, que caracterizam nossa vida, que mudam a natureza e a direção do trabalho e que dão colorido e significado final ao amor e às amizades.

Epílogo

Muitas vezes me perguntei se optaria por ter a doença maníaco-depressiva, caso pudesse escolher. Se eu não dispusesse do lítio, ou se ele não funcionasse no meu caso, a resposta seria um simples "não" – e seria uma resposta impregnada de horror. No entanto, o lítio funciona no meu caso; e, por isso, suponho que possa me permitir essa pergunta. Por estranho que pareça, creio que optaria por ter a doença. É complicado. A depressão é apavorante demais e não cabe em palavras, sons ou imagens. Eu não gostaria de voltar a passar por uma depressão prolongada. Ela exaure os relacionamentos através da suspeita, da falta de confiança e de amor-próprio, da incapacidade de aproveitar a vida, de caminhar, conversar ou raciocinar normalmente, da exaustão, dos terrores noturnos, dos *terrores diurnos. Não há nada de bom que se possa dizer da depressão, a não ser que ela nos dá a experiência de como deve ser a velhice, ser velho e doente, estar à morte; ter a mente lerda; não ter elegância, educação ou coordenação; ser feio; não acreditar nas possibilidades da vida, nos prazeres do sexo, na perfeição da música ou na capacidade de provocar o riso em nós mesmos e nos outros.*

As outras pessoas insinuam que sabem como é estar deprimido porque passaram por um divórcio, perderam um emprego ou romperam relações com alguém. A verdade é que essas experiências trazem consigo sentimentos. Já a depressão é neutra, oca e insuportável. Ela é também cansativa. Ninguém agüenta ficar ao lado de quem está deprimido. As pessoas podem achar que deviam ficar, e podem até tentar, mas você sabe e elas sabem que você está incrivelmente chato: irritável, paranóico, sem senso de humor, sem energia, cheio de críticas e exigências, e nenhum tipo de esforço para reanimá-lo jamais é suficiente. Você está assustado e está assustador. Você "não está nem um pouco parecido consigo mesmo, mas logo vai estar", só que você sabe que não vai.

E então por que eu iria querer ter alguma coisa a ver com essa doença? Porque acredito sinceramente que, em conseqüência dela, senti mais coisas e com maior profundidade; tive mais experiências, mais intensas; amei mais e fui mais amada; ri mais vezes por ter chorado mais vezes; apreciei mais as primaveras apesar de todos os invernos; vesti a morte "bem junto ao corpo como calças jeans", aprendi a apreciá-la, e à vida, mais; vi o que há de melhor e mais terrível nas pessoas e aos poucos aprendi os valores do afeto, da lealdade e de ir até o fim. Conheci os limites da minha mente e do meu coração, e percebi como os dois são frágeis e como, em última análise, são incognoscíveis. Em depressão, engatinhei para poder atravessar um quarto e fiz isso meses a fio. No entanto, normal ou maníaca, corri mais, pensei mais rápido e amei mais do que a maioria das pessoas que conheço. E creio que boa parte disso está relacionada à minha doença – à intensidade que ela confere às coisas e à perspectiva que ela me impõe. Creio que ela me fez testar os limites da minha mente (que, embora deficiente, está firme) bem como os limites da minha criação, família, formação e dos meus amigos.

As incontáveis hipomanias, e a própria mania, todas trouxeram para minha vida um nível diferente de sensação, sentimentos e pensamentos. Mesmo quando mais psicótica – delirante, alucinada, frenética – estive consciente da descoberta de novos recantos na minha mente e no meu coração. Alguns desses recantos eram incríveis, lindos; tiraram meu fôlego e fizeram com que eu sentisse que poderia morrer ali mesmo que as imagens me sustentariam. Alguns deles eram feios, grotescos. Não quis nunca saber que eles existiam, nem vê-los de novo. Sempre, porém, havia aqueles novos recantos; e – quando me sinto normal, devendo essa minha identidade à medicina e ao amor – não posso imaginar que me torne indiferente à vida, porque sei desses recantos sem limites, com seus panoramas sem limites.

Agradecimentos

Escrever um livro desta natureza não teria sido possível sem o apoio e os conselhos dos meus amigos, da minha família e dos meus colegas. Teria, sem dúvida, sido impossível sem os excelentes cuidados médicos que recebi ao longo dos anos do Dr. Daniel Auerbach. Ele foi, sob todos os aspectos, um médico excelente e profundamente solidário. Devo-lhe não só minha vida, mas também uma parte importante da minha formação como psicóloga clínica.

Ninguém teve maior influência sobre minha decisão de ser franca a respeito da minha doença do que Frances Lear, amiga de longa data e generosa incentivadora do meu trabalho. Ela estimulou e tornou possível meu trabalho de conscientização em saúde mental e é, sob muitos aspectos, responsável pela minha decisão de escrever este livro. Seu apoio e fé no meu trabalho tiveram importância crítica no que fui capaz de fazer durante os últimos oito anos.

Alguns outros amigos foram particularmente importantes. Sou profundamente grata a David Mahoney pelo seu apoio, por muitas conversas úteis e prolongadas e pela amizade maravilhosa. O Dr. Anthony Storr foi uma das pessoas mais importantes da minha vida, e eu lhe sou muito grata pelo nosso relacionamento. Lucie Bryant e o Dr. Jeremy Waletzky, os dois amigos íntimos há muitos anos, foram incrivelmente gentis e generosos com seu apoio. John Julius Norwich, já há algum tempo, vem me estimulando a debater minha doença maníaco-depressiva mais abertamente e, repetidas vezes, salientou sua crença em que seriam benéficas as conseqüências de escrever um livro destes. Ele enfrentou todos os meus argumentos em prol da privacidade com argumentos ainda mais fortes a favor da franqueza. Sempre foi um amigo maravilhoso, e a ele sou agradecida por sua capacidade de persuasão. Peter Sacks, poeta e professor de inglês no Johns Hopkins, examinou todos os rascunhos deste livro, fez muitas sugestões inestimáveis e me deu estímulo muito necessário. Não tenho como lhe agradecer o bastante pelo tempo e pelo cuidado que dedicou ao meu trabalho. Muitas outras pessoas foram amigas ao longo dos anos, e algumas delas fizeram também a gentileza de ler os primeiros rascunhos dos originais: o Dr. e Sra. James Ballenger, o Dr. Samuel Barondes, Robert Boorstin, a Dra. Harriet Braiker, o Dr. Raymond De Paulo, Antonello e Christina Fanna, a Dra. Ellen Frank, o Dr. e Sra. Robert Gallo, o Dr. Robert Gerner, o Dr. Michael Gitlin, a Sra. Katharine Graham, o congressista e Sra. Steny Hoyer, Charles e Gwenda Hyman, Earl e Helen Kindle, o Dr. Athanasio Koukopoulos, o Dr. David Kupfer, Alan e Hannah Pakula, a Dra. Barbara Parry, o Dr. e Sra. Robert Post, Victor e Harriet Potik, o Dr. Norman Rosenthal, William Safire, Stephen E. Smith, Jr., a Dra. Paula Stoessel, o

Dr. Per Vestergaard, o Dr. e Sra. James Watson e o Professor Robert Winter. Durante muitos períodos difíceis em Los Angeles, o Dr. Robert Faguet foi um amigo extraordinário. Como descrevi, ele cuidou de mim durante meus dias de trevas absolutas, e o fez com enorme elegância e humor. Meu ex-marido, Alain Moreau, também foi de uma delicadeza e lealdade notáveis naquela época, e eu lhe sou grata por termos continuado a ser grandes amigos. Os Drs. Frederick Silvers, Gabrielle Carlson e Regina Pally, cada um a seu próprio modo, me ajudaram a ir em frente durante aqueles meses longos e terríveis. Mais tarde, quando David Laurie morreu, algumas pessoas na Inglaterra foram de uma gentileza excepcional e continuaram sendo meus amigos ao longo dos anos: o Coronel e Sra. Anthony Darlington, o Coronel James B. Henderson, o falecido Brigadeiro Donald Stewart, sua mulher, Margaret, e Ian e Christine Mill.

O diretor do meu departamento no Johns Hopkins, o Dr. Paul McHugh, me deu um apoio excepcional, da mesma forma que anteriormente o Dr. Louis Jolyon West, diretor de psiquiatria durante o período em que fiz parte do corpo docente da faculdade de medicina na Universidade da Califórnia, em Los Angeles. Terei sempre uma enorme gratidão de ordem tanto pessoal quanto intelectual pelos dois homens que foram meus orientadores quando eu estudava na graduação e na pós-graduação, o Professor Andrew L. Comrey e o falecido Professor William H. McGlothlin. Aprendi mais do que posso dizer, ou que posso reconhecer adequadamente, tanto com meus alunos quanto com meus pacientes.

Eu, como muitos outros, fiquei arrasada com a morte, em 1994, do editor Erwin Glikes. Ele era não só um intelecto notável e um ser humano profundamente sábio, mas também um bom amigo. Ele publicou meu livro *Touched with Fire*, e eu considerava praticamente impossível imaginar confiar algo tão pessoal quanto estas memórias a qualquer outra pessoa. Felizmente, pude trabalhar com Carol Janeway na Knopf. Ela foi tudo que se pode desejar de um editor: profundamente intuitiva, extremamente inteligente, espirituosa e inabalável na sua determinação de tornar o livro melhor e mais completo. Foi um prazer e um privilégio trabalhar com ela. Dan Frank, o excelente editor de *Chaos*, dedicou sua formidável capacidade para a edição a um tipo meio diferente de caos e ajudou a dar estrutura a este livro. Trabalhar com a equipe da Knopf foi um prazer. Maxine Groffsky foi uma agente literária maravilhosa – simpática, animada, engajada, consciente, solidária – e sou grata a Erwin Glikes por nos ter apresentado.

Agradeço à Oxford University Press pela permissão de usar material escrito originalmente para o ensino e depois incorporado – como breves passagens de descrição clínica – num livro do qual fui co-autora com o Dr. Frederick Goodwin, *Manic-Depressive Illness*. O Sr. William Collins, que datilografou meus originais, foi de uma precisão, confiabilidade, simpatia e inteligência inestimáveis.

Teci alguns comentários sobre minha família neste livro. Todos os relacionamentos significativos são complicados, mas não posso imaginar escolher nenhuma família diferente da que eu tenho: minha mãe, Dell Temple Jamison; meu pai, Dr. Marshall Jamison; meu irmão, Dr. Dean Jamison; minhas irmãs, Phyllis, Danica e Kelda; minha cunhada, Dra. Joanne Leslie; meus sobrinhos, Julian e Eliot Jamison; e minha sobrinha, Leslie Jamison.

Minha gratidão ao meu marido, Dr. Richard Wyatt, não cabe em palavras. Ele me incentivou a escrever este livro; deu apoio durante todos os meus períodos de dúvidas e ansiedades quanto a escrevê-lo; leu cada folha do original e fez muitas sugestões valiosas que levei a sério. Sou-lhe grata por um amor que perdura, que cresceu e sempre foi maravilhoso.

AGRADECIMENTOS PELA PERMISSÃO DE USO

São os seguintes os agradecimentos pela permissão para reimprimir material publicado anteriormente:

Elizabeth Barnett, Testamenteira Literária, Espólio de Edna St. Vincent Millay: "Time Does Not Bring Relief" e um trecho de "Renascence", de *Collected Poems* de Edna St. Vincent Millay (HarperCollins), *copyright* © 1912, 1917, 1940, 1945 de Edna St. Vincent Millay. Reimpresso por cortesia de Elizabeth Barnett, Testamenteira Literária, Espólio de Edna St. Vincent Millay.

Carl Fischer, Inc.: Trecho do hino de "The U.S. Air Force", letra e música de Robert Crawford, *copyright* © 1939, 1942, 1951 de Carl Fischer, Inc., *copyright* renovado. Reimpresso com permissão de Carl Fischer, Inc.

New Directions Publishing Corp. e David Higham Associates: Trecho de "The Force That Through the Green Fuse Drives the Flower" de Dylan Thomas, de *Poems of Dylan Thomas, copyright* © 1939 de New Directions Publishing Corp. Direitos fora dos Estados Unidos de *The Poems* (J. M. Dent Publishers) administrados por David Higham Associates, Londres. Reimpresso com permissão de New Directions Publishing Corp. e David Higham Associates.

Special Rider Music: Trecho de "Subterranean Homesick Blues" de Bob Dylan, *copyright* © 1965 de Special Rider Music, *copyright* renovado em 1993 por Special Rider Music. Todos os direitos reservados. *Copyright* internacional protegido. Reimpresso com permissão de Special Rider Music.

Este livro foi composto na fonte ITC Garamond e impresso pela gráfica Vox, em papel Lux Cream 60 g/m², para a Editora WMF Martins Fontes, em setembro de 2025.